QUELLE PRÉPOSITION ?

CHEZ LE MÊME ÉDITEUR

J. CELLARD, *Le subjonctif : comment l'écrire, quand l'employer ?* 3e édition.

J. CELLARD, *500 mots nouveaux définis et expliqués.*

J. CELLARD, *Les 500 racines grecques et latines les plus importantes du vocabulaire français. 1. Racines grecques.*

J. CELLARD, *Les 500 racines grecques et latines les plus importantes du vocabulaire français. 2. Racines latines.*

J.-P. COLIGNON et P.-V. BERTHIER, *La pratique du style. Simplicité - précision - harmonie.*

J.-P. COLIGNON et P.-V. BERTHIER, *Pièges du langage 1. Barbarismes - Solécismes - Contresens - Pléonasmes.*

J.-P. COLIGNON et P.-V. BERTHIER, *Pièges du langage 2. Homonymes - Paronymes - « Faux amis » - Singularités & Cie.*

J.-P. COLIGNON, *Guide pratique des jeux littéraires.*

J.-P. COLIGNON, *Savoir écrire, savoir téléphoner. Guide pratique de la correspondance et du téléphone.* 2e édition.

A. DOPPAGNE, *La bonne ponctuation : clarté, précision, efficacité de vos phrases.*

A. DOPPAGNE, *Les régionalismes du français.*

A. DOPPAGNE, *Majuscules, abréviations, symboles et sigles.*

A. DOPPAGNE, *Guide pratique de la publication. De la pensée à l'imprimé.*

R. GODIVEAU, *1000 difficultés courantes du français parlé.* 2e édition.

M. GREVISSE, *Savoir accorder le participe passé. Règles - exercices - corrigés.* 4e édition.

M. GREVISSE, *Quelle préposition ?* 3e édition.

M. LACARRA, *Les temps des verbes. Lesquels utiliser ? Comment les écrire ?*

J.-P. LAURENT, *Rédiger pour convaincre. 15 conseils pour une écriture efficace.*

Maurice GREVISSE

QUELLE PRÉPOSITION ?

TROISIÈME ÉDITION

DUCULOT

(*Imprimé en Belgique sur les presses Duculot.*)

D. 1983, 0035.12

Dépôt légal : mars 1983

ISBN 2-8011-0431-0

(ISBN 2-8011-0334-9, 2e édition)
(ISBN 2-8011-0122-2, 1re édition)

AVANT-PROPOS

Quelle est la bonne préposition ? C'est la question qu'il nous arrive de nous poser quand il s'agit de bien amener, dans la phrase, un complément de construction indirecte. La syntaxe des compléments, en effet, n'est pas simple, elle a ses chemins, nombreux, avec leurs carrefours, leurs ornières, et leurs fondrières même, où les maladroits s'achoppent, s'embourbent et tombent dans le mauvais style ou dans l'incorrection caractérisée.

Il importe de bien choisir la préposition pour introduire correctement le complément. Dans certains cas, il y a lieu de tenir compte de l'aspect sémantique de l'expression : participer de, *par exemple, a un tout autre sens que* participer à. *Dans nombre d'autres cas, c'est simple affaire de style ou respect de l'usage.*

Je n'ai pas voulu, dans ce petit ouvrage, examiner de façon exhaustive la syntaxe des prépositions : elle est très vaste et très variée ; j'ai voulu être pratique ; mes observations visent à être utiles, à dissiper, dans l'usage courant, certains doutes et certaines hésitations ; elles présentent des solutions rapides, sûres pourtant, attestées qu'elles sont par l'Académie ou par des citations de bons auteurs. Les curieux du langage correct, quand ils ne trouveront pas dans cet opuscule le moyen de lever la difficulté qui les embarrasse, pourront toujours se reporter aux grands dictionnaires ou, éventuellement, à mon Bon Usage.

M. Gr.

QUELLE PRÉPOSITION ?

À / OU [dans l'évaluation approximative : dix *à* douze ; six *ou* douze, etc.] :

a) Si on peut supposer une quantité intermédiaire, on met *à* ou bien *ou : L'enfant avait douze* À *treize ans* (R. Rolland). — *J'étais alors une fillette de sept* OU *huit ans* (Th. Gautier).

b) Pas de quantité intermédiaire, pas de division par fractions : on met *ou : Il vit cinq* OU *six arbres le long d'un petit fossé* (Stendhal).

N.B. — Il y a, dans l'usage, du flottement en cette matière.

À introduisant un infinitif complément (par ex. : *Il s'apprête* À *partir, il persiste* À *nier,* etc.). Voir **INFINITIF COMPLÉMENT.**

À marquant l'appartenance : dans qques locutions figées : *bête* À *bon Dieu, denier* À *Dieu, vache* À *Colas,* etc., — et populairement : *Fils* À *papa. — Seriez-vous point le fils* À *Jean ?* (A. France.) — *Des amies* À *mon père* (P. Léautaud).

ABOYER. *Un chien qui aboie* À *la lune, qui aboie* AUX *voleurs* (Acad.). — *Un chien qui aboie* APRÈS *tous les passants* (Id.). — *Aboyer* CONTRE, APRÈS *quelqu'un* (Petit Robert).

ABUSER. *Il a abusé* DE *votre bonté* (Acad.). — *La jeune fille ne s'abusa plus* SUR *son sort* (Bescherelle). — *Il n'est guère de précepte* SUR *lequel on s'abuse plus universellement* (Massillon, dans Bescherelle).

ACCABLER. *Il fut accablé* SOUS *les ruines* (Acad.). [Vieilli, au sens concret.] — *Être accablé* PAR *la multitude des ennemis* (Id.). — *Accabler qqn* DE *reproches,* DE *louanges. — Accablé* SOUS *le poids de ses malheurs.*

ACCOMMODER. *a)* « Accommoder *à* » (= disposer de façon à faire convenir à) : *Il accommode sa conduite* À *toutes les circonstances.*

b) « S'accommoder *à* » (= s'accorder avec, s'adapter à) : *Il faut s'accommoder* À *l'évolution des connaissances. — Il faut s'accommoder* À *l'usage* (Acad.).

c) « S'accommoder *de* » (= accepter comme pouvant convenir, s'arranger de) : *Je m'accommoderai* DE *ce logement modeste. — Il s'accommode* DE *tout ce qu'il trouve sous sa main* (Acad.).

d) Construction archaïque : « accommoder *avec* » (= faire concorder) : *Ils accommodent la religion* AVEC *les plaisirs* (Fléchier). — Mais on dit couramment : *Accommoder* (= préparer) *du poisson* AVEC *une sauce,* À *telle sauce* (Petit Robert).

ACCOMPAGNER. *a) Il accompagna ses remontrances* DE *reproches* (Acad.). — *Il accompagna son présent* D'*une lettre fort polie* (Id.). — Vieilli : *S'accompagner* D'*un ami pour un voyage* (Littré).

b) Accompagner AU *piano,* AVEC *la harpe* (Acad.). — *S'accompagner* AU *piano,* AVEC *la guitare* (Id.).

c) « Accompagné *de* qqn, ~ *par* qqn ». En général, dit Littré, on préférera *par* à *de,* quand la personne dont nous sommes accompagnés nous est supérieure pour le rang et la qualité.

ACCORD, S'ACCORDER. *a)* « D'accord *sur* qqch. » : *On tomba d'accord* SUR *les bases suivantes* (M. Prévost). — *Il était d'accord* SUR *tout* (H. Troyat). — *Mettez-vous donc d'accord* SUR *un point* (Ionesco).

b) « D'accord *de* qqch. » (littéraire) : *On pourrait bien demeurer d'accord* DES *qualités* (Montesquieu). — *On croira, Madame, que vous êtes d'accord* DE *tout ce qui se passe* (Chateaubriand).

c) « D'accord *en* qqch., ~ *pour* qqch., ~ *avec* qqn » : *Quoiqu'ils parussent n'être jamais d'accord* EN *rien. — Ils sont d'accord* SUR *ce point* OU EN *ce point* (Acad.). — *Elle est d'accord* AVEC *moi* POUR *tout* (J. Giono).

d) « En accord *avec* » : *Toute leur personne est en accord* AVEC *la pâleur du ciel* (M. Bedel). — *Un héros d'exception qui met ses actes en accord* AVEC *ses pensées* (É. Henriot). — *Ses religieux, en accord* AVEC *la mission laïque* (G. Duhamel). — De même : *Il admet que de « menus détails » s'accordent mal pour l'instant* AVEC *cette thèse* (A. Robbe-Grillet).

e) « D'accord » + infin. : avec *de : Ne sommes-nous pas demeurés d'accord* DE *ne point expliquer ce mot ?* (Pascal.) — Le plus souvent, avec *pour : Nous tomberons facilement d'accord* POUR *convenir que de tous les talismans qui promettent le bonheur aux vaines ambitions de l'homme, il n'y en a point de plus sûr que le travail* (Ch. Nodier).

f) « S'accorder » + infin. : 1° avec *à : Tous les témoins interrogés s'accordent* À *reconnaître même que, s'il n'y avait pas eu de complots dirigés contre les chefs de la révolution, tout se serait terminé sans effusion de sang* (G. Duhamel). — 2° Avec *pour : Ils s'accordent tous* POUR *me tromper* (Acad.). — *Tous les témoins s'accordent* POUR *reconnaître que la voix de notre Jacques Maritain porta plus loin qu'aucune autre* (Fr. Mauriac). — *Aujourd'hui les bons écrivains s'accordent* POUR *tenir compte de cette discrimination* (R. Le Bidois). — 3° Rare, avec *de : Ils s'accordèrent tous* DE *prendre ce parti* (Littré).

ACCOUTUMER. *a) J'accoutume mon âme* À *souffrir ce qu'ils font* (Molière). — *Accoutumer qqn* À *qqch.* (Acad.).

b) Avoir accoutumé, dans le sens de « avoir coutume », se dit parfois avec *de* et un infinitif : *Il avait accoutumé* D'*aller,* DE *faire* (Acad.). — *Ce qu'on a accoutumé* D'*appeler le théâtre du boulevard* (Fr. Mauriac).

c) Il s'est accoutumé À *la fatigue* (Acad.). — *Il s'était accoutumé* À *se contenter de peu* (Littré). — *On s'accoutume* DE *donner*

(...) à toutes les passions des noms adoucis (Massillon, dans Littré). — *Il a eu beaucoup de peine à s'accoutumer* AVEC *ce voisin que le hasard lui a donné* (Littré).

ACHARNER. *a)* Avec *à : Il s'est acharné* AU *jeu,* À *l'étude* (Acad.). — *Ils s'acharnent* À *diffamer cette harangue* (Littré). — *Il lui semblait que la Providence s'acharnait* À *la poursuivre* (Flaubert).

b) Avec *contre : On avait acharné les chiens* CONTRE *le taureau* (Acad.). — *Ces deux tigres s'acharnent l'un* CONTRE *l'autre* (Id.). — *Il s'acharne de plus en plus* CONTRE *moi* (Id.).

c) Avec *sur : Le loup s'acharne* SUR *sa proie* (Acad.). — *Il s'acharne de plus en plus* SUR *moi* (Id.). — *Ton extrême rigueur / S'acharne* SUR *mon cœur* (Molière).

d) Avec *après* (tour familier ou populaire) : *Le vent s'était acharné* APRÈS *nous* (A. Daudet). — *Avoue que la fatalité s'acharne* APRÈS *moi* (E. Jaloux).

ACHEMINER. *Il achemina son armée* VERS *Rome* (Acad.). — *Chaque jour nous achemine* À *la mort* (Id.). — *Il s'achemine à grands pas* VERS *la ruine* (Id.).

ACHETER. *Acheter* À *crédit,* ~ (À) *bon marché,* ~ À *vil prix. Acheter* EN *gros,* ~ EN *détail. J'ai acheté* DE *lui cette maison* (Acad.).

N.B. — *Acheter une chose* À *qqn* signifie « l'acheter *de* lui » : *Je* LUI *ai acheté un volume qu'il m'a fait payer cher* (Acad.). — Mais il signifie aussi « acheter *pour* qqn » : *J'ai acheté une montre* À *mon fils* (Acad.).

ACHEVER. *a)* + infin., avec *de* [= finir une chose commencée] : *Il achève* DE *se ruiner,* DE *se perdre* (Acad.). — *L'amour achèverait* DE *sortir de mon cœur* (Racine).

b) Avec *par* [= finir, mais avec idée d'une action qui *s'ajoute* à une autre] : *J'ai commencé par lui, j'achèverai* PAR *eux* (Corneille).

c) Avec *sur : Je tremble qu'Athalie, à ne vous rien cacher / N'achève enfin* SUR *vous ses vengeances funestes* (Racine).

ACHOPPER. *Achopper, s'achopper* À *une pierre. — S'achopper* À *toutes sortes d'obstacles. — Mon esprit s'achoppe* À *ce mot : conséquence* (A. Gide, cit. Robert).

ADMETTRE. *Admettre qqn* DANS *une société,* À *sa table* (Acad.). — *Admettre* DANS *la familiarité,* À *sa familiarité* (Littré). — *On l'admit* À *siéger* (Id.). — *On les admit* PARMI *les privilégiés,* ENTRE *les privilégiés.*

AFFAIRE [AVOIR ~]. *a)* « Avoir affaire *à* qqn » = avoir à lui parler ou avoir un compte à régler avec lui : *Il a eu affaire* À *moi pour une question de passeport* (J. Romains). — *Vous aurez affaire* À *moi !* (formule de menace). — *Celui-là aurait un jour affaire* À *lui* (J. Giraudoux).

b) « Avoir affaire *avec* qqn » = avoir à traiter avec lui (il y a opposition ou réciprocité de deux activités politiques, commerciales, etc.) : *S'il n'avait eu affaire qu'*AVEC *les moines, son histoire ne serait pas si lamentable* (L. Veuillot).

Selon Littré, la seule distinction réelle, c'est que *avoir affaire à* est plus général.

c) « Avoir affaire *de* » [tour vieilli] = avoir besoin de : *Qu'a-t-on affaire* DE *ces doubles emplois ?* (Montesquieu.) — *Qu'ai-je affaire* DE *l'estime de gens que je ne puis estimer ?* (A. Gide.)

N.B. — 1. On écrit parfois « avoir *à faire* » : *Qu'ai-je* À FAIRE *de l'avis des autres ?* (M. Gallo.) — *On a* À FAIRE *à des fonctionnaires* (Daniel-Rops).

2. Ne dites pas « être *en* affaire » (belgicisme) pour « être affairé, agité », « avoir des soucis ».

ÂGE. *a)* On dit : « *en* âge *de* » + infin. : *Je n'étais pas* EN *âge* DE *comprendre les passions* (Châteaubriant, cit. Sandfeld).

b) « *D'*âge *à* » + infin. : *Il est* D'*âge* À *juger ce qui lui convient* (Acad.).

AGGRAVÉ. *Maladie aggravée* PAR *l'imprudence du malade* (Littré). — Archaïque (= accablé) : *Feignant me sentir aggravé* DE *sommeil, je me retire dans ma chambre* (P.-L. Courier, dans Bescherelle).

AGIR. *L'éloquence agit* SUR *les esprits* (Acad.). — *Je vous prie d'agir* POUR *moi* (Id.). — *N'agissez pas* CONTRE *moi* (Id.). — *Nous agissons* DE *nous-mêmes* (Pascal). — *Agir* SELON *ses goûts.*

Il s'agit DE *bien choisir.* — *Il s'agit* DE *bien autre chose* (Acad.).

AGUERRIR. *Tant d'afflictions m'ont aguerri* À *la douleur* (J.-J. Rousseau, dans Bescherelle). — *Tâchez de vous aguerrir* CONTRE *les voluptés* (Littré). — *Des troupes aguerries* PAR *douze ans de guerres* (Voltaire, *ibid.*).

AIDER. *a)* On dit : « aider qqn *à* faire qqch. » : *Je vous aiderai* À *faire ce travail.*

b) Le tour « aider *à* qqn », surtout avec *à* et un infinitif, était fréquent chez les classiques : *Aucun n'aide* AUX *chevaux à se tirer d'affaire* (La Font.). Ce tour est aujourd'hui vieilli : *Le marquis* LUI *avait aidé à remonter* (La Varende).

AILLEURS (PAR ~). *a)* Au sens étroit : « par une autre voie » : *Il faut faire venir vos lettres* PAR *ailleurs* (Littré).

b) Sens étendu : « d'un autre côté, pour un autre motif, par un autre moyen » : *Je l'ai trouvé très irrité et,* PAR *ailleurs, décidé à se retirer* (Acad.). — *Une assemblée de messieurs âgés,* PAR *ailleurs fort courtois* (Fr. Mauriac).

N.B. — Observation analogue pour *d'ailleurs :*

a) Sens étroit : « d'un autre lieu » : *Je le ferai venir* D'*ailleurs* (Acad.).

b) Sens étendus : « d'une autre cause », « d'autre part, pour le reste » : *Vous lui attribuez mal à propos votre disgrâce, elle vient* D'*ailleurs* (Acad.). — *Cet historien, fort clair* D'*ailleurs, a mal expliqué cette partie de son sujet* (Id.).

AIMABLE. *Elle s'est rendue aimable* À *toute la maison* (Fénelon, dans Littré). — *Comme c'est aimable* À *vous* D'*être venu* (Taine). — *Vous êtes bien aimable* DE *venir me voir* (Acad.).

AIMER. *a)* « Aimer *à* » + infin. : *J'aime* À *prier à genoux* (Chateaubriand).

b) Tour moins courant : « aimer *de* » + infin. : *Julius aimait* D'*obliger* (A. Gide).

c) Le tour le plus fréquent, c'est *aimer* + infin. pur : *J'aime lire.* — *Il aime vraiment rendre service* (R. Martin du Gard).

AIMER MIEUX. Devant l'infinitif second terme de la comparaison, *de* est facultatif : *On aime mieux souffrir que mourir, que* DE *mourir.* — *J'aimerais mieux mourir que* DE *faire une si mauvaise action* (Acad.).

AINSI (PAR ~). Locution archaïque. On la rencontre parfois encore dans l'usage moderne : *Vous vous êtes égalés* PAR AINSI *aux hommes les plus grands* (J. Romains). — *Je mettais des semelles d'amiante dans mes souliers, qui* PAR AINSI *devenaient trop étroits* (Colette).

ALARMER. *Ne vous alarmez pas* DE *tous ces faux bruits* (Acad.). — *Tous les voisins s'alarment* POUR *vous* (Fénelon, dans Littré). — *Alarmés* SUR *leur situation* (Littré). — *Vous avez été alarmés* D'*apprendre sa maladie* (J.-J. Rousseau, dans Bescherelle). — *La conscience du roi était alarmée* PAR *son confesseur* (Voltaire, *ibid.*).

ALLER. On dit : « Aller *chez* le coiffeur, *chez* le dentiste, *chez* le boulanger, etc. » : *Il vaut mieux aller* CHEZ *le boulanger que* CHEZ *le médecin* (Littré). — *Nous irons* CHEZ *le médecin* (G. Duhamel). — *Un matin qu'elle devait se rendre* CHEZ *le coiffeur...* (Colette).

N.B. — Le tour *aller* AU *coiffeur,* AU *médecin,* etc. est de la langue populaire : *Maman allait le moins possible «* AU *boucher »* (Fr. Mauriac).

ALLIER. *a) Allier la force* À *la prudence* (Acad.). — *Que l'Orient contre elle* À *l'Occident s'allie* (Corneille).

b) La rude flagornerie qui s'y faisait sentir ne s'allia jamais AVEC *la bienveillance* (J.-J. Rousseau). — *Il sait allier l'esprit du monde* AVEC *celui de la religion* (Acad.). — *Allier l'or* AVEC *l'argent* (Littré).

c) Ils étaient alliés ENTRE *eux par suite d'un second mariage* (Acad.).

ANALOGIE. *a)* « Avoir de l'analogie *avec* » : *Cette langue a beaucoup d'analogie* AVEC *telle autre* (Acad.).

b) « Analogie *entre* » : *Il y a de l'analogie* ENTRE *le cheval et l'âne* (Littré).

APPARAÎTRE + attribut. *a)* L'attribut peut être construit directement : *La mort lui apparaissait glorieuse* (Littré).

b) Il peut aussi se construire avec *comme : Son innocence lui apparaissait confusément* COMME *impossible à prouver* (Maupassant). — *La mort m'apparaît* COMME *un grand lac dont j'approche et dont les contours se dessinent* (J. Renard).

APPELER, dans le style de la procédure, signifie « recourir à un tribunal supérieur pour faire réformer un jugement ». On dit, en ce sens : « appeler *d'*un jugement *à* un tribunal » : *Il a appelé* DU *tribunal de première instance* À *la Cour d'appel* (Acad.). — On dit semblablement : « en appeler *à* l'autorité supérieure ». — « Appeler *d'*un jugement » = en réclamer la réformation.

APPLAUDIR. *a)* S'emploie comme transitif direct, au sens propre : *Applaudir les acteurs* (Acad.).

b) Au sens de « donner son assentiment à qqch. », il est généralement précédé de *à : Applaudir* À *un projet* (Acad.).

c) S'applaudir (= se féliciter) se construit avec *de : S'applaudir* D'*un événement heureux* (Acad.).

APPRÊTER (S' ~) + infin. *a)* Avec *à : Il s'apprête* À *partir* (Acad.).

b) Avec *pour : Je m'apprête* POUR *descendre à table* (H. Barbusse, cit. Sandfeld).

APRÈS (PAR ~). Locution archaïque, déjà vieillie au XVIIe siècle : *Toutes autres connaissances* (...) *qu'il peut acquérir* PAR APRÈS (Montaigne). — *J'ai peur, si le logis du Roi fait ma demeure, / De m'y trouver si bien dès le premier quart d'heure, / Que j'aie peine aussi d'en sortir* PAR APRÈS (Molière).

Littré note que cette locution « a vieilli ». — Elle est restée courante en Belgique.

Conseil : employer simplement *après* (sans *par*).

ARMER (S' ~). *S'armer* D'*une épée,* D'*un bâton* (Acad.). — *Armez-vous* D'*un courage et* D'*une foi nouvelle* (Racine). — *S'armer* CONTRE *la douleur* (Littré). — *Il s'arma* CONTRE *sa patrie* (Id.). — *Que la main des muets s'arme* POUR *son supplice* (Racine).

ARRANGER (S' ~) + infin. *a)* Parfois avec *à : Je m'arrangerais ainsi* À *l'avoir chaque soir toute à moi* (M. Proust, cit. Sandfeld).

b) Le plus souvent avec *pour : Arrangez-vous* POUR *finir vite ce travail* (Acad.).

ASSEOIR. On dit : « s'asseoir *sur* une chaise, *sur* un canapé, *sur* un divan », « *sur* ou *dans* une bergère ».

N.B. — Voyez FAUTEUIL.

ASSOCIER. *Associer qqn* À *des travaux* (Acad.). — *Les entrepreneurs de cette manufacture l'ont associé* AVEC *eux* (Id.). — *Associer une chose* AVEC *une autre,* À *une autre* (Petit Robert). — *S'associer* À *qqn,* AVEC *qqn pour une opération, une entreprise* (Id.).

ASSORTIR. *Assortir des couleurs l'une* AVEC *l'autre.* — *Assortir une étoffe* D'*une doublure convenable.* — *Cette garniture assortit bien* À *la robe,* AVEC *la robe* (Acad.). [Ce dernier emploi est vieilli ; aujourd'hui on dirait : ... *s'assortit bien...* ou : ... *est bien assortie...*]

N.B. — Littéraire : « s'assortir *de* » = s'accompagner de : *Le texte s'assortit* DE *belles enluminures* (Petit Robert).

ASSURER. Constructions à observer :

a) « Assurer qqch. *à* qqn » [= soit : le lui affirmer, le lui donner pour sûr ; soit : le lui procurer, faire en sorte qu'il ne manque pas de qqch.] : *J'ai assuré* À *votre ami qu'il n'y avait rien à craindre* (Littré). — *Vainement* À *son fils j'assurais mon secours* (Racine).

b) « Assurer qqn *de* qqch. » [= garantir, permettre de croire] : *Sa conduite passée nous assure* DE *l'avenir* (Petit Robert). — *Assurez-le* DE *mon respect* (Acad.).

N.B. — 1. *S'assurer* [= se garantir] CONTRE *les pièges* (Littré).

2. *S'assurer* [= établir sa confiance] EN *qqn* (Littré). — *Ne vous assurez point* SUR *ma faible puissance* (Racine). — *Mais je m'assure encore* AUX *bontés de ton frère* (Id.). — *Il s'assurait* DANS *les promesses de ses amis* (Littré). [Ce sens est vieilli.]

3. *S'assurer* DE *qqn* = soit : l'arrêter, l'emprisonner, — soit : se ménager son appui (vieux) : *S'assurer* D'*un conspirateur* (Bescherelle). — *Les Romains, pour attaquer avec sûreté de si redoutables adversaires, s'assurèrent* DES *Carthaginois* (Bossuet, dans Littré).

4. Ne dites pas : « Ma maison est assurée *pour* le feu » ; dites : « ... *contre* l'incendie ».

ATTACHEMENT. *Avoir de l'attachement* POUR *qqn* (Acad.). — *L'attachement du chien* POUR *son maître* (Robert). — *Avoir de l'attachement* À *un parti* (Id.). — *Avoir de l'attachement* AU *travail,* À *l'ouvrage* (id.).

ATTEINDRE. *a)* Transitif direct : *Nous partîmes en même temps, mais j'atteignis le but avant lui* (Acad.).

b) Atteindre construit avec *à* signifie « parvenir à », en impliquant l'idée d'un effort à faire : *Atteindre* AU *but* (Acad.). — *Atteindre* À *la perfection* (Id.).

ATTENDRE. *a) J'attends* POUR *partir* (Acad.). — *Nous attendons qu'il revienne* POUR *nous en aller* (Petit Robert). — *Wallas juge préférable d'attendre,* POUR *commencer l'enquête, que le personnel soit au complet* (A. Robbe-Grillet).

b) Attendez D'*être informé avant de vous prononcer* (Petit Robert).

c) Attendez JUSQU'À *demain,* JUSQU'À *la semaine prochaine* (Acad.). — Assez rare : *Pour partir, attendez* AU *jour, attendez* À *la belle saison* (Id.).

d) Au sens de « rester en un lieu où l'on compte que qqn viendra, qu'une chose sera apportée », on dit : *J'attendrai mon ami à la gare. — J'attends le bateau.* — Mais pour marquer le besoin qu'on a de la personne ou de la chose attendue, on dit : *J'attends* APRÈS *le médecin,* APRÈS *des nouvelles* (Littré). — *Que je n'attende pas* APRÈS *vous, quand nous serons prêts* (A. Salacrou).

e) « S'attendre » [= penser que qqch. arrivera] : *Je ne m'attendais pas* À *un pareil traitement de votre part* (Acad.). — *Je m'attends* À *rencontrer bien des difficultés* (Id.).

N.B. — Vieilli : *Je ne m'attendais pas* DE *vous rencontrer.*

ATTENTIF. *a)* Avec *à : Être attentif* À *son travail* (Acad.). — *Attentif* À *distinguer le mérite* (Fénelon). — *Attentifs* À *ne bousculer personne* (Alain).

b) Parfois avec *sur : Attentive à tout ce qui peut servir le prochain, elle ne l'est pas moins* SUR *tout ce qui peut le blesser* (Fléchier).

c) Parfois avec *pour* + infin. : *Attentifs (...)* POUR *ne rien laisser au hasard* (Fénelon).

ATTENTION. *a) Avoir attention* À *ce qu'on fait* (Acad.). — *Attention* AUX *pots de fleurs* (Ionesco). — *Faire attention* À *ne pas blesser un ami* (Grand Larousse encyclop.).

b) Il faudra faire attention DE *ne pas glisser* (R. Brasillach). — *En faisant bien attention* DE *ne pas marcher sur le ballast* (R. Queneau).

c) Ayez attention SUR *votre langue* (Bossuet). — *Sans faire nulle attention* SUR *lui* (Sévigné). [Vieilli.]

d) Vous voulez qu'on sache qu'un homme en place a de l'attention POUR *vous* (La Bruyère).

AUPRÈS DE, AU PRIX DE, PRÈS DE. Distinguons, dans des phrases impliquant l'idée de comparaison :

a) Auprès de = en comparaison de : *Votre mal n'est rien* AUPRÈS DU *sien* (Acad.).

b) Au prix de marque également l'idée de « en comparaison de », mais ne se dit que des choses ou des personnes qui peuvent se priser : *Qu'est-ce que la vérité, pensai-je,* AU PRIX DE *l'amitié ?* (J. Romains.) — *Ce service n'est rien* AU PRIX DE *celui qu'il m'avait rendu* (Acad.).

N.B. — Même sens, mais plutôt vieilli : « près de » : *Et* PRÈS DE *vous ce sont des sots que tous les hommes* (Molière).

AUTOMNE. Tour courant : « *en* automne » : *Nous allons être* EN *automne.* — Parfois : « *à* l'automne » : *Je traverse,* À *l'automne, un canton forestier* (G. Duhamel).

N.B. — Parfois, pour rendre plus concrète l'indication temporelle : « *dans* l'automne » : *Nous serons bientôt* DANS *l'automne : voici les brouillards.*

AUTORISER. *Je vous autorise* À *parler en mon nom* (Littré). — *Il s'autorise* DE *votre exemple,* DE *vos maximes pour agir de la sorte* (Acad.).

AUTRE QUE. *a)* Lorsque *autre* est introduit par une préposition, généralement cette préposition se répète après *que : Je ne puis me montrer* À *d'autres qu'*À *vous* (Voltaire). — *Le miel était mangé, mais* PAR *d'autres que* PAR *elle* (A. Chamson).

b) On peut aussi ne pas répéter la préposition : *Elle vivra* POUR *un autre que lui* (Racine). — *Ne parlez pas de cela* À *d'autres que vos amis* (Littré). — *Tu ne seras touché* PAR *un autre que moi* (Hugo).

AVANCE. On peut dire :

a) « *D'*avance » : *Je me réjouis* D'*avance* (Acad.).

b) « *Par* avance ». *Je m'en réjouis* PAR *avance avec vous* (Acad.). — PAR *avance, j'acceptais tout* (G. Duhamel).

c) « *À* l'avance » (usage moderne) : *Préviens-moi de ton arrivée, deux jours* À *l'avance* (Flaubert). — *Les questions qu'il avait préparées* À *l'avance* (Zola). — *Il est vain de définir* À *l'avance toutes les fonctions de l'État* (V. Giscard d'Estaing).

d) « *En* avance » (c'est le contraire de « en retard ») : *Vous êtes* EN *avance* (Acad.).

AVEC. *a)* Ne pas l'employer adverbialement comme dans cette phrase : « Je pars, viens-tu *avec ?* » Il faut ajouter un pronom personnel : *Viens-tu* AVEC *moi ?*

N.B. — *Avec* pris adverbialement est admis dans le style familier lorsqu'il s'agit de choses : *Il a pris mon manteau et s'en est allé* AVEC (Acad.).

b) On dit : « distinguer *du* véritable ami le flatteur ». Pour marquer plus fortement la distinction : *Distinguer l'ami* D'AVEC *le flatteur* (Acad.).

AVENUE. Voir **RUE.**

AVOIR MAL, AVOIR FROID, etc. Avec un complément indiquant l'endroit, il faut *à : Avoir mal* À *la tête, avoir froid* AUX *pieds.*

BALANCER + infin. *a)* Avec *à : Il n'a pas balancé un seul instant* À *m'accorder ce que je lui demandais* (Acad.). — *J'ai balancé longuement* À *vous le confesser* (G. Duhamel, cit. Sandfeld).

b) Avec *de* [tour archaïque] : *M. Tronchin a déclaré qu'il y allait de votre vie, mais que vous ne balanceriez pas* DE *la risquer* (Voltaire).

BARRE ou **BARRES (AVOIR ~).** On dit : *avoir barre* (ou *barres)* SUR *quelqu'un* = avoir sur lui quelque influence, quelque avantage : *Vous lui donnez barres* SUR *vous* (Acad.). — *J'avais barre* SUR *Maurice* (H. Bazin).

BAS. *a)* On dit avec un verbe de mouvement : « *à* bas de » : *Se jeter, sauter* À *bas du lit* (Acad.) ; — et parfois (même sens) « *en* bas de » : *Riquet avait sauté* EN *bas du fauteuil* (A. France).

b) « *En* bas de » [= au bas de] : *Il était* EN *bas de la colline* (Acad.).

BATTRE (SE ~). *Se battre* AVEC, CONTRE *qqn* (Petit Robert). — *Voilà une heure qu'il se bat* AVEC *cette serrure* (Id.). — *Se battre*

CONTRE *des moulins à vent. — Se battre* À *l'épée. — Se battre l'œil* DE *qqch. — Se battre* EN *duel. — Peut-on se battre* PAR *juste raison ?* (Alain.)

BEAUCOUP. *a)* « Il s'en faut *de* beaucoup » = la quantité qui devrait y être est, de loin, insuffisante : *Vous croyez m'avoir tout rendu, il s'en faut* DE *beaucoup* (Acad.).

b) « Il s'en faut beaucoup » = il y a une grande différence : *Le cadet n'est pas si sage que l'aîné, il s'en faut beaucoup* (Acad.).

c) Indifféremment : *Il est beaucoup plus instruit,* ou : DE *beaucoup plus instruit.* Nécessairement avec *de* après l'adjectif : *Il est plus instruit* DE *beaucoup.*

BICYCLETTE, VÉLO, VÉLOMOTEUR, CYCLOMOTEUR, MOTOCYCLETTE, SCOOTER. *a)* Dans le langage soigné ou puriste : « *à* bicyclette, *à* vélo, etc. » : *Elle arrive* À *bicyclette* (G. Duhamel). — *Monter* À *vélo* (A. Arnoux). — *Un très grand nombre de voyageurs se déplacent* À *motocyclette,* À *vélomoteur ou* À *scooter* (A. Siegfried).

b) Tour fréquent : « *en* bicyclette, *en* vélo », etc. : *Leur père est passé* EN *bicyclette* (A. Gide). — *Il était* EN *vélo* (Fr. Mauriac). — *Quand je me promenais* EN *motocyclette* (A. Maurois).

c) Précédés d'un article ou de ce qui en tient lieu : « *sur* une bicyclette, *sur* un vélo », etc. : *Il partit* SUR *sa bicyclette* (Colette).

BIENVEILLANT. *Il s'est montré bienveillant* POUR *moi, ...* ENVERS *moi, ...* À L'ÉGARD DE *ma mère.*

BLASER, « atténuer les sensations ou les émotions par l'abus » :

a) « Blaser *de* » : DE *rien facilement je ne me blase* (H. Bosco). — *Blasé* DES *danses viles* (Verlaine). — *J'étais déjà blasé* DE *piétiner la neige durcie* (A. Hermant). [Avec l'infin., seule construction possible.]

b) « Blaser *sur* » : *La mauvaise vie qu'il a menée l'a blasé* SUR *tout* (Acad.). — *Blasé* SUR *tous les deuils* (Ch. Maurras).

c) Rare : « blaser *contre* » : *Aussitôt le même bien-être élémentaire l'enveloppait, durable et délicieux,* CONTRE *lequel elle ne se blasait pas* (M. Genevoix).

BOÎTE. *Boîte* À *ouvrage* [= destinée à...]. — *Boîtes* DE *sardines vides* (G. Duhamel). — *Établir des boîtes* AUX *lettres dans les divers quartiers d'une ville* (Acad.). — *Jeter des lettres* À *une boîte* (Id.), ou DANS *une boîte.*

Parfois : « boîte *à* lettres » : *Il y avait en bas, dans le couloir, pour chacun de nous, une boîte* À *lettres* (G. Bernanos). — *À la chapelle du Saint-Sépulcre, il y a une boîte* À *lettres* (A. Lanoux).

BON, suivi de *à, pour,* signifie « qui est propre à » : *Du vin bon* À *boire* (Acad.). — *Conscrit bon* POUR *le service* (Id.).

N.B. — 1. *Pour de bon, pour tout de bon,* voyez POUR.

2. *Il fait bon* + infin. : sans préposition, ou avec *de : Il fait bon vivre chez nous* (Vigny). — *Ah ! qu'il fait bon se reposer* (M. Aymé). — *Il fera bon* DE *se reposer dans le sable brûlant de la sablière* (Fr. Mauriac).

3. De même, mais cela est assez peu courant : *Il fait mauvais, il fait dangereux, il ne fait pas sûr passer* — ou DE *passer — par cette ruelle.* — Voir CHER.

BONNET. *Ce sont deux têtes, ce sont trois têtes* DANS *un bonnet,* DANS *un même bonnet* (Acad.). — *Ce sont deux têtes* SOUS *un même bonnet* (Id.).

BORGNE. *Un homme qui sort de terre, « borgne* DE *l'œil droit, sans manteau, l'épée au côté, pieds nus et deschaux »* (Hugo) [= c'est de l'œil droit qu'il ne voit plus].

BOUCHE. *a)* Tour ordinaire : « Avoir la pipe, le cigare, la cigarette *à* la bouche » : *Des cavaliers passèrent en riant, avec des cigares* À *la bouche* (Flaubert).

b) Parfois : *Il ferme les yeux, met une cigarette* DANS *sa bouche* (P. Guth). — *Je remets la pipe* EN *bouche* (J. Perret). — *Pipe* EN *bouche* (Vercors).

BOULEVARD. Voyez **RUE.**

BOURSE. *a)* Introduit par *à : Il va* À *la Bourse* (Taine). — *Aller* À *la Bourse* (Acad.). — *Jouer* À *la Bourse* (Petit Robert). — *Valeur cotée* À *la Bourse* (Acad.).

b) Introduit par *en : Jouer* EN *Bourse* (J.-L. Curtis). — *Valeurs cotées* EN *Bourse* (Petit Robert). — *Ça les console d'une baisse* EN *Bourse* (J. Romains).

BUT. En dépit de certains puristes, on peut dire : « *dans* un but, *dans* le but de » [= dans le dessein, l'intention de, dans la vue de] : *C'est uniquement* DANS *ce but qu'ils aiment l'argent* (Stendhal). — DANS *le but de changer de point de mire, il secouait çà et là le lutteur* (Th. Gautier).

N.B. — « *Pour* un but », « *avec* un but » sont des tours peu courants : *Me contredire* POUR *le simple but de ne pas lui déplaire* (P. Léautaud). — *Poursuivre la guerre ? Oui, certes. Mais* POUR *quel but ?* (Ch. de Gaulle.) — *Un effort est tenté (...)* AVEC *le but non seulement de mieux comprendre...* (M. Cohen).

BUTER [= achopper, heurter]. *a)* Avec *contre : Il a buté* CONTRE *une pierre* (Acad.). — *Ils se sont butés l'un* CONTRE *l'autre* (Id.). — *Se buter* CONTRE *un mur* (Robert).

b) Avec *à : Il se bute* À *ce dessein* [= il s'y fixe] (Littré). — *Se buter* À *un obstacle,* À *une difficulté insurmontable* (Robert).

c) Avec *sur : Malheureusement, je bute dès le départ* SUR *un obstacle assez sérieux* (R. Ikor).

d) Avec *dans : Elle avait buté* DANS *un caillou* (H. Queffélec, dans le *Trésor de la Langue fr.*).

CAUSE. On dit : *a)* dans la langue du droit : « être *en* cause » [= être l'objet de l'affaire] ; — « mettre *en* cause » [= appeler, citer au débat qqn qui a à se défendre ou à témoigner] ; — « mettre *hors de* cause » [= dégager de toute suspicion]. (Ne pas dire : « *hors* cause ».)

b) « *À* cause de », « *pour* cause de » : *Je lui pardonne* À *cause de cela* [= en considération de cela] (Robert). — *C'est* À *cause de lui* [= par sa faute] *que l'accident s'est produit. — Le magasin est fermé* POUR *cause d'inventaire* (Petit Robert).

CAUSER. *a)* Au sens de « parler, bavarder » : *Causer* AVEC *qqn. — Je cause volontiers* AVEC *lui* (Acad.). — *Je cause quelquefois* AVEC *des habitués* (Maupassant). — *Elle ne causait pas* AVEC *moi* (M. Proust).

b) Populaire ou familier : « causer *à* qqn » : *Le vin dont nous entendons tout à coup la Vierge se mettre à causer* À *son fils* (P. Claudel). — *Il* M'*a causé très familièrement* (R. Rolland).

CENT. On dit : « *à* huit *pour* cent », « *à* dix *pour* cent », etc. [= dans la proportion de huit francs, de dix francs, etc., avec la somme de cent francs prêtée ou avancée] : *Prêter son argent* À *cinq* POUR *cent d'intérêt*, — ou simplement : À *cinq* POUR *cent* (Acad.).

N.B. — Populairement : « à cinq *du* cent, à dix *du* cent », etc. : *Elle avait trois mille francs d'économies, et bien placés, en bons billets, à cinq* DU *cent* (R. Boylesve). — *Il y aurait dix* DU *cent pour lui, une fois l'affaire faite* (R. Martin du Gard).

CERTAIN. On dit : *certaines gens* ou DE *certaines gens, à certains moments* ou *à* DE *certains moments. — Il y a certaines choses,* DE *certaines choses pour lesquelles on éprouve de la répugnance* (Acad.). — *Il y a* DE *certaines choses que les bouffons eux-mêmes n'ont pas le droit de railler* (Musset). [On ne prendra pas ce *de* pour une préposition ; c'est, pour le pluriel, le *de* qui correspond à l'indéfini *un*, pour le singulier : *certain homme* ou UN *certain homme.*]

CESSE [N'AVOIR (PAS) DE ~]. *a)* Construction classique et traditionnelle : « n'avoir (pas) de cesse que » + *ne* et le subjonctif : *Il n'aura point de cesse que vous ne lui ayez donné ce qu'il demande* (Acad.). — *Je n'avais eu de cesse que je n'eusse bâti mon nid* (Fr. Mauriac).

b) Construction moderne : « n'avoir (pas) de cesse *de* » + infinitif : *Je n'eus de cesse* DE *le rencontrer de nouveau* (M. Arland). — *Si je lui bats froid* [à une chienne], *elle n'a de cesse* DE *me reconquérir* (J. Roy).

N.B. — Parfois : + *avant de* + infinitif : *Je n'aurais de cesse* AVANT DE *les mettre* [des vers de Racine ou des phrases de Mozart] *dans le domaine public* (J. Giono).

C'EST À MOI À / DE + infin. Distinction traditionnelle (celle de l'Académie) :

a) C'est à moi À *parler* = mon tour de parler est venu.

b) C'est à moi DE *parler* = c'est à moi qu'il appartient, qu'il convient de parler.

N.B. — Selon Littré, ces deux tournures sont équivalentes.

CHAMBRE. Un ouvrier « *en* chambre » est un ouvrier qui travaille chez lui.

CHANGER, ÉCHANGER. *Changer, échanger une chose* CONTRE *une autre.* — *Il a changé ses tableaux* CONTRE *des meubles* (Acad.). — *Échanger une propriété* CONTRE *une autre* (Id.). — *Esaü échangea son droit d'aînesse* CONTRE *un plat de lentilles* (Robert). — *Changer son habit* POUR *celui d'un autre* (Littré). — *Échanger une chose* POUR *une autre* (Id.). — *Il a changé ses manuscrits* POUR *des livres* (Bescherelle). — *Je ne puis changer*

AVEC *vous* (Bescherelle). — *Ils changent leur physionomie* EN *une autre* (La Bruyère). — *Elle (...) la changea* DE *linge,* DE *bas,* DE *souliers* (Flaubert). — En poésie et dans la prose élevée : *Je changerais mon sort* AU *sort d'un braconnier* (Hugo, cit. Littré).

CHANTIER. Au choix : « Avoir un ouvrage *sur* le chantier », ou : « *en* chantier » : *Mettre un ouvrage* SUR *le chantier* (Acad.). — *J'avais toujours, en ce temps-là, trois ou quatre livres* EN *chantier* (G. Duhamel).

CHAQUE. Avec un complément de temps, on peut dire : en mettant *à :* À *chaque fois que l'heure sonne* (Hugo). — À *chaque heure* (Bescherelle).

Mais on peut aussi se passer de *à : Chaque fois qu'on lui en parle* (Acad.). — *Ainsi florissait la nouvelle ville d'Idoménée (...) ; chaque jour, chaque heure, elle croissait avec plus de magnificence* (Fénelon, dans Bescherelle).

CHASSE. On dit : « aller *à* la chasse » : *Qui va* À *la chasse perd sa place.*

« Partir *à* la chasse » ou « partir *en* chasse » (Robert) = partir pour une partie de chasse. — « Prendre *en* chasse une personne, une voiture, etc. » = se lancer à sa poursuite. — « Être *en* chasse » = en parlant des chiens, être à la poursuite du gibier [se dit aussi en parlant des animaux en chaleur].

CHER (IL FAIT ~) + infin. Sans préposition : *Il fait cher vivre dans cette ville* (Acad.).

CHERCHER après *qqn* ou *qqch.* est de la langue populaire ou très familière. Usage normal : *chercher qqn* ou *qqch.*

N.B. — « Chercher *à* » + infin. : *Il cherche* À *plaire.*

CHEVEUX. On peut dire : « femme *en* cheveux » [= nu-tête ; coiffée sans avoir de chapeau] : *Il ne voyait même pas de femmes*

EN *cheveux, les clientes du quartier* (Zola). — *Une femme* EN *cheveux, grisonnante, franchit le seuil* (R. Martin du Gard).

CHEZ. *a)* Il signifie proprement « dans la maison de » : *Chacun est maître* CHEZ *soi* (Acad.). — *J'ai passé par* CHEZ *vous* (Id.).

b) Il peut signifier aussi : « parmi, dans l'œuvre de, en la personne de » : *Il y avait telle coutume* CHEZ *les Grecs* (Acad.). — *On trouve ce récit* CHEZ *Hérodote* (Id.).

N.B. — 1. Incorrect : *Cette guêpe nous importune ; la voilà maintenant* CHEZ *vous* [pour : AUTOUR DE *vous*]. — Dans un salon : *Mon enfant, puisque Madame t'appelle, va* CHEZ *elle* [pour : AUPRÈS D'*elle*].

2. Le régime de *chez* ne peut désigner que des êtres animés : *Cela s'observe* CHEZ *les Chinois,* CHEZ *les mammifères.* On ne dirait pas : ... CHEZ *les minéraux.*

3. Voir ALLER (« aller *chez* le boulanger », etc.).

CHOISIR. Au choix : DE *deux maux,* ou : ENTRE *deux maux, il faut choisir le moindre* (Acad.).

Il fut choisi POUR *chef de l'entreprise* (Acad.), ... COMME *chef de l'entreprise.* — *Nous choisirons* PARMI *ces objets* (Id.). — *Bien camper, bien choisir* À *chacun son emploi* (Corneille, cit. Bescherelle). — *À qui choisirez-vous, mon fils,* DE *ressembler ?* (Racine.) — *Choisir* DE *partir ou rester* (Littré). — *Il vous a choisi* SUR *tout le peuple pour vous combler de bienfaits* (Massillon, cit. Bescherelle).

CLEF. On peut dire : *La clef est* À *la porte,* À *la serrure,* ou : ... SUR *la porte,* SUR *la serrure.*

COMBATTRE. *Combattre* AU *sabre,* À *l'épée.* — *Combattre* À *pied,* À *cheval.* — *Combattre* CONTRE, AVEC *qqn* (Acad.). — *Et comptez-vous pour rien Dieu qui combat* POUR *nous ?* (Racine.) — *Combattre* PAR *générosité,* PAR *dévouement* (Bescherelle).

COMME DE JUSTE [= comme il se doit]. Voir **JUSTE.**

COMMENCER + infin. *a)* Avec *à : Nous commençâmes* À *parler* (A. Gide). — *Cet enfant commence* À *parler,* À *lire,* À *écrire* (Acad.).

b) Avec *de : Quand la nuit commença* DE *tomber* (P. Loti). — *Lorsqu'il commença* DE *parler, chacun se tut pour l'écouter* (Acad.). Quelques-uns (avec l'Académie) estiment que *commencer de* marque une action qui aura de la durée, et *commencer à* une action qui aura du progrès, de l'accroissement. Mais l'usage ne fait pas de distinction réelle entre les deux constructions.

c) « Commencer *par* » + infin., c'est « faire d'abord » : *Commençons* PAR *nous préparer, ensuite nous agirons* (Littré). — *Il commença* PAR *me montrer le poing* (G. Duhamel).

N.B. — Au lieu de « commencer *par* », on dit parfois « commencer *avec* », mais cela n'est pas d'une langue « soignée » : *On commencera le concert* AVEC *une sonate de Mozart.*

COMMUN. *a) Le boire et le manger sont communs* À *l'homme et* AUX *animaux* (Acad.).

b) Cette joie m'est commune AVEC *bien des gens* (Acad.). — *Cette affaire n'a rien de commun* AVEC *celle dont il s'agit* (Id.).

COMMUNIQUER. *a)* Au sens de « faire connaître », se construit avec *à : Communiquer ses affaires* À *un ami* (Acad.).

b) Quand il signifie, en parlant de choses, « être en rapport, par un passage », il admet les prépositions *à* et *avec : Le second étage de sa maison communiquait* À *une petite galerie* (Sainte-Beuve). — *La salle à manger, qui communiquait* AU *salon par une porte à quatre vantaux* (A. Hermant). — *Cette chambre communique* AVEC *telle autre par un corridor* (Acad.).

c) Emploi absolu ou pronominal : *Ces deux chambres communiquent* ou *se communiquent par un corridor* (Acad.).

COMPARER. Dans l'usage ordinaire, on dit indifféremment « comparer *à* » *ou* « comparer *avec* » *: On compare les conquérants*

À *des torrents impétueux* (Acad.). — *Comparer un écrivain* AVEC *un autre,* À *un autre* (Petit Robert).

N.B. — Selon Littré, *comparer à* se dit plutôt quand on veut trouver un rapport d'égalité. *Comparer avec* se dit plutôt quand on confronte, quand on recherche les dissemblances et les ressemblances.

COMPLÉMENT D'AGENT du verbe passif. D'une manière générale, il se construit avec *de* ou *par : Il est aimé* DE *tout le monde, ...* PAR *tout le monde.*

Toutefois on peut observer qu'il se construit :

a) Souvent avec *de :* quand on envisage surtout l'état résultant de l'action subie : *Un homme aimé* DE *tous ;* — avec les verbes pris au figuré : *Accablé* DE *honte ;* — avec les verbes marquant un état psychologique : *Craint* DE *ses ennemis ;* — devant un complément non accompagné d'un déterminatif : *Rue encombrée* DE *curieux.*

b) Souvent avec *par :* quand le verbe présente à l'esprit l'idée de l'action : *La peinture enseignée* PAR *un artiste ;* — avec les verbes pris au sens propre : *Accablé* PAR *un fardeau ;* — avec les verbes désignant une opération matérielle : *Charrue tirée* PAR *les bœufs ;* — devant un complément accompagné de l'article défini ou d'un déterminatif : *Rue encombrée* PAR *les curieux du voisinage.*

N.B. — 1. On dit bien : « étoffe mangée *des* mites, *par* les mites, etc. » : *Un vêtement mangé* PAR *les mites* (Acad.). — Mais on dit aussi : « mangé *aux* mites, *aux* vers, etc. » : *Étoffe mangée* AUX *mites* (Acad.). — *Un lit bateau mangé* AUX *vers* (A. Daudet).

2. Semblablement, à côté du tour « connu *de* », on a parfois « connu *à* » : *Des vérités naturelles et connues* À *tout le monde* (Pascal). — *Pour raison* À *moi connue,* DE *moi connue* (Acad.).

COMPLIMENTER, COMPLIMENT.

a) Avec *sur : Je l'ai complimenté* SUR *son mariage* (Acad.). — *Il se rassit et la complimenta* SUR *son costume* (Flaubert).

b) Avec *pour : Complimenter un élève* POUR *son succès à un examen* (Robert). — *Valentine Ivanovna Zaïtseff l'avait complimentée* POUR *son travail* (H. Troyat).

c) Avec *de* (tour moins courant) : *On l'a complimenté* DE *son courage* (Littré). — *J'allais au moins la complimenter* DE *ses cheveux* (M. Clavel).

N.B. — 1. On dit : « faire compliment, faire des compliments *à* qqn *de* qqch., *sur* qqch., *pour* qqch. » : *Je vous fais compliment* DE *votre bonne santé* (Acad.). — *Je vous fais compliment* D'*agir ainsi* (Robert). — *Je lui fais compliment* SUR *son mariage,* SUR *son retour* (Acad.). — *Il lui faisait des compliments* SUR *sa robe* (J. Giraudoux). — *Je vous fais mes compliments* POUR *la manière dont vous avez réglé l'affaire* (Dictionn. du franç. contemp.).

2. Avec indication de la personne à qui le compliment est transmis : *Mes compliments* À *votre femme* (Robert). — *Je vous charge de mes compliments* POUR *lui* (Dictionn. général).

COMPTER. *a)* « Compter *sur* » (= s'appuyer sur, faire fond sur) : *Compter* SUR *ses forces* (Acad.). — *On ne peut pas compter* SUR *lui* (Petit Robert).

b) « Compter *avec* » (= tenir compte des possibilités de) : *Ce personnage a désormais de l'autorité, il faut compter* AVEC *lui* (Acad.). — *Il faut compter* AVEC *les circonstances* (Id.).

c) Compter + infin. : usage ordinaire : sans préposition : *Il compte partir demain* (Acad.).

Archaïque : avec *de : C'est qu'ils comptent* DE *n'être jamais hommes* (J.-J. Rousseau).

d) Compter DE *mémoire. — Compter une somme* À *qqn* (Acad.). — *À compter* DE *demain, le prix des places sera augmenté* (Id.). — *On comptait* PARMI *les coupables tels et tels* (Id.). —*Il compte* POUR *rien tous les services qu'on lui rend* (Id.). — *Comptons* COMME *un pur néant tout ce qui finit* (Bossuet).

CONDAMNER. *Condamner qqn* À *mort,* À *la mort* (Acad.). — *Il fut condamné* À *lui payer cette somme* (Id.). — *Et c'est trop* *condamner ma bouche* D'*imposture* (Molière) [= taxer de, accuser de ; tour vieilli].

CONFIANCE. On dit : « confiance *en* », parfois « confiance *dans* », « confiance *à* » : *Avoir confiance* EN *qqn* (Acad.). — *J'ai grande confiance* EN *vous,* EN *votre secours* (Id.). — *Heureux le peuple innocent / Qui* DANS *le Dieu du ciel a mis sa confiance* (Racine). — *M. de la Boulerie n'avait pas confiance* AUX *gendarmes* (B. Constant).

N.B. — « Faire confiance *à* » : locution ignorée de l'Académie et rebutée par les puristes ; elle est aujourd'hui tout à fait courante : *Faisons confiance* AU *choix des siècles* (A. Maurois). — *À partir de ce moment-là, j'ai de nouveau fait confiance* À *l'homme* (Fr. Mauriac). — *Le barman fait confiance sur parole* À *ce client-là* (Aragon).

CONFIER.

a) Confier le gouvernement d'une province À *un chef expérimenté* (Littré). — *Confier des semences* À *la terre* (Acad.). — *Je me confie* À *vous corps et âme* (J. Giraudoux, cit. Robert).

b) Je me confie EN *vous* (Littré). — *Il s'est confié* EN *ses amis* (Acad.). — *Il se confie trop* EN *ses propres forces* (Robert).

c) Rare : *Se confier* DANS *la justice de sa cause* (Dict. Quillet). — SUR *l'équité des dieux osons nous confier* (Racine).

CONFORMITÉ. *a)* Avec idée de soumission : *La conformité* À *la religion dominante* (Acad.).

b) = qualité de ce qui est conforme : *La conformité d'une chose* AVEC *une autre* (Acad.). — *Il y a une conformité parfaite* ENTRE *ces deux choses* (Id.).

c) « *En* conformité *de* » = conformément à : EN *conformité* DE *telle loi, nous avons pris l'arrêté suivant* (Acad.).

CONFRONTER. Avec *à* ou *avec :*

a) Confronter les témoins À *l'accusé* (Acad.). — *Je ne me confronte plus* À *ces masques tragiques* (Fr. Mauriac).

b) Confronter deux étoffes l'une AVEC *l'autre* (Littré). — *Confronter les témoins* AVEC *l'accusé* (Acad.). — *Confronter de temps en temps les lois humaines* AVEC *la loi chrétienne* (Hugo).

N.B. — Pour une nuance possible entre les deux constructions, voir COMPARER.

CONNAISSANCE [FAIRE (la) CONNAISSANCE]. On peut dire :

a) « Faire connaissance *avec* »*: Il a fait connaissance* AVEC *un tel* (Acad.). — *Il repense au jour néfaste où il a fait connaissance* AVEC *l'autre* (A. Robbe-Grillet).

b) « Faire (la) connaissance *de* »*: Je fis connaissance* DE *M. Viennet* (A. Hermant). — *Fait connaissance* DE *Marcel Proust* (Fr. Mauriac). — *Je fis la connaissance* D'*Albert Doyen* (G. Duhamel).

CONNAÎTRE. *a)* Au sens de « avoir autorité pour juger de (certaines matières) », se construit avec *de* ou un équivalent : *Ce juge connaît* DES *matières civiles et criminelles* (Acad.). — *Il* EN *connaît en première instance* (Id.). — *Il* EN *connaît par appel* (Id.). — *Ce tribunal ne peut pas connaître* DE *telle affaire.*

b) Se connaître (= savoir bien juger) se construit avec *à* ou avec *en : Vous connaissez-vous* À *cela ?* (Acad.). — *Il se connaît* EN *mérite,* EN *poésie* (Id.).

Même sens : « s'y connaître *en* » : *Il s'y connaissait* EN *décors* (J. Cocteau).

CONSENTIR. Emploi ordinaire : *Je consens* À *tout ce que vous voulez* (Acad.). — *Je consens* À *votre départ* (Lexis). — *Les parents ont consenti* À *ce mariage.*

N.B. — 1. *Consentir qqch.* s'emploie dans la langue du palais ou de la diplomatie, et parfois ailleurs : *Consentir un traité* (Acad.). — *Consentir une explication* (M. Prévost).

2. *Consentir* + infin. : avec *à : Je consens* À *partir* (Acad.). — Avec *de* (littéraire) : *Ne consentirez-vous pas* D'*en parler ?* (A. Gide.)

3. *Consentir que : Je consens* QUE *vous le fassiez* (Acad.). — Selon une certaine tendance moderne : *consentir* À *ce que : Je consens volontiers* À CE QU'*il vienne avec nous* (Mérimée).

CONSÉQUENT. *a)* « Conséquent *avec* » : *Être conséquent* AVEC *soi-même* (Acad.).

b) « Conséquent *dans* » : *Être conséquent* DANS *ses discours,* DANS *ses projets,* DANS *sa conduite* (Acad.).

c) « Conséquent *à* » [= qui est la suite de qqch., en accord avec qqch.] : *Sa conduite est conséquente* À *ses principes* (Acad.). — *Conclusion conséquente* AUX *prémisses* (Id.). — *Comme j'étais conséquent* À *moi-même, dans toutes les parties de mon caractère !* (A. Hermant.)

CONSIDÉRER [= juger, réputer].

On dit : « considérer qqn, qqch. *comme* tel ou tel » : *Les soldats le considéraient* COMME *un père* (Littré). — *Je considère cette promesse* COMME *sacrée* (A. Maurois).

N.B. — Le tour : « considérer qqn ou qqch. tel ou tel », sans *comme*, se rencontre (mais il est condamné par l'Académie) : *Le membre d'une société religieuse, qu'il considère divine* (J. Guitton).

CONSISTER. *Son revenu consiste* EN *rentes,* EN *bois* (Acad.). — *Ils doivent faire consister leur bonheur* DANS *la modération* (Fénelon, cit. Littré). — *La libéralité consiste moins* À *donner beaucoup qu'*À *donner à propos* (La Bruyère).

CONSPIRER. *Ils conspirent tous* À *la même fin* (Acad.). — *Tout conspire* À *sa perte* (Id.). — *Tout conspire* EN *sa faveur, tout conspire* POUR *lui* (Id.). — *La nature conspira* AVEC *la fortune* POUR *accabler l'État* (Voltaire, cit. Bescherelle).

CONTINUER. Construit l'infinitif complément avec *à* ou *de* indifféremment : *Continuer* À *faire,* À *dire,* DE *faire,* DE *dire* (Acad.).

CONTRAINDRE + infin. Indifféremment : *a)* Avec *à : Non, je ne vous veux pas contraindre* À *l'oublier* (Racine).

b) Avec *de : On le contraindra* DE *partir* (Acad.). — *Les grandes choses survenues depuis lors ne m'ont pas contraint* DE *modifier ces idées élémentaires* (P. Valéry).

CONTRE (PAR ~) [= en compensation, en revanche, au contraire]. Locution rebutée par Littré ; elle est reçue par le meilleur usage : *Le pays de Meuse est pluvieux. Le printemps,* PAR CONTRE, *y est charmant* (H. de Régnier). — *Les aliments ne sont touchés qu'avec des gants de caoutchouc.* PAR CONTRE, *à table, on se sert avec les doigts* (P. Morand). — *Elle ne savait rien de ce que nous savons.* PAR CONTRE, *elle savait beaucoup de choses que nous ignorons* (A. France).

CONTREDIRE. *a)* Est normalement transitif direct : *Il a essayé de me contredire* (Acad.). — *Contredire les déclarations, le témoignage de qqn* (Id.).

b) Vieilli : *Contredire* À *qqn,* À *qqch.* Cette construction subsiste dans *Je n'y contredis pas* (Acad.).

CONVENIR. *On ne convient pas* DE *l'année où il vint au monde* (Bossuet, cit. Littré). — *Les historiens ne conviennent pas* SUR *la date de cet événement* (Bescherelle). — *Ils convinrent* ENTRE *eux* DE *faire telle chose* (Acad.). — *L'empereur ne convenait pas* AVEC *l'impératrice* SUR *les points les plus essentiels* (Montesquieu). — *Cela convient* À *sa position* (Acad.).

CONVERTIR. *a)* Au sens de « changer une chose en une autre », se construit avec *en : Convertir l'eau* EN *vin.* — *Il a con-*

verti ses pierreries EN *vaisselle d'argent* (Acad.). — *Convertir une terre* EN *blés.*

b) Au sens de « amener à adopter une croyance, une religion », se construit avec *à : Convertir les païens, les idolâtres* AU *christianisme* (Acad.). — *Les peuples se sont convertis* À *la foi* (Id.).

CÔTE. Au sens de « rivage de la mer », se construit ordinairement avec *sur : Est-ce que vous comptez rester longtemps* SUR *la côte ?* (M. Proust.) — *Pour passer d'agréables vacances* SUR *la côte, il faut un bateau* (H. Troyat). — *C'est* SUR *la côte d'Azur que nous achevâmes de passer l'hiver* (A. Gide). — *J'ai rêvé que Satan était trop beau joueur pour demeurer* SUR *la Côte* (M. Clavel).

N.B. — Rare et désuet : « *à* la côte » : *Faire naufrage* À *la côte* (Littré).

COURIR. *a) Courir* APRÈS *les honneurs* (Acad.). — *Courir* APRÈS *l'esprit* (Id.).

N.B. — Familièrement : *Il me court* APRÈS. — *Les gamins nous couraient* APRÈS (R. Martin du Gard).

b) Courir À *sa perte,* À *sa ruine.* — *Peuple, vengez mon père et courez* À *ce traître* (Voltaire, cit. Littré). — *Courir sus* À *qqn.*

COURT. *a)* On dit : « être *à* court de » (= n'avoir plus de) : *Être* À *court d'argent* (Acad.). — *Tu n'es jamais* À *court d'arguments* (A. Maurois).

b) Usage classique : « être court de » : *Être court de mémoire* (Acad.). — *Chez mon père nous étions courts d'ameublement* (A. Gide).

c) « Prendre qqn *de* court » = le prendre à l'improviste, sans lui laisser le temps de faire ce qu'on exige de lui.

d) On peut dire : « Couper (ou prendre, ou tirer) *au* court, *au* plus court, *par* le plus court » : *Pour couper* AU *court à travers les bois* (Nerval). — *Pour couper* AU *plus court dans les taillis* (G. Bernanos). — *Couper* PAR *le plus court* (Acad.).

CRAINTE. On dit : « *de* crainte de », « *dans* la crainte de », « *par* crainte de » : DE *crainte d'être surpris* (Acad.). — DANS *la crainte de tomber* (Littré). — *Il s'était boutonné jusqu'au cou,* PAR *crainte des voleurs* (R. Rolland).

N.B. — Non introduit par une préposition : « crainte *de* » : *Veillez, crainte du Suborneur !* (Verlaine.) — *Nous ne dormions plus, crainte d'alerte* (M. Barrès). — *Les persécutés redoutaient la visite de leurs amis, crainte de les compromettre* (Chateaubriand).

CRIER. *a)* Au sens de « protester très vivement » : *Crier* À *l'injustice,* À *l'oppression* (Acad.).

b) Au sens de « prononcer comme en criant » : *Crier* À *l'aide,* AU *secours.*

c) Crier APRÈS *qqn* [= s'emporter contre lui] : *Salomé eut beau crier* APRÈS *lui* (R. Rolland). — Familièrement : *Il me crie* APRÈS (= *il crie après moi*).

CROIRE. *a)* « Croire *à* qqn, ~ *à* qqch. » marque essentiellement une adhésion de l'esprit ; l'idée fondamentale est celle de « tenir pour réel, vraisemblable, efficace » : *Croire* AUX *astrologues,* À *la médecine,* À *la Providence,* À *mon estime.* — *Croyez* À *mes sentiments bien sympathiques* (Acad.).

b) « Croire *en* qqn, ~ *en* qqch. » marque essentiellement une disposition du cœur ; l'idée fondamentale est celle de « avoir confiance, se fier, compter sur » : *Croire* EN *l'avenir,* ~ EN *l'homme.* — Mais la langue religieuse dit, avec le sens d'adhésion de l'esprit : *Croire* EN *Dieu,* ~ EN (ou : À) *la vie éternelle.*

c) « On croirait (*de*) ». Voir **DIRE**.

DATE. *a) Cette lettre est* EN *date de Londres* (Acad.). — *Il produit une lettre* EN *date de tel jour* (Id.).

b) À *la date du...* (Petit Robert).

DE. Dans « deux jours *de* libres, cent hommes *de* tués », etc., la préposition est facultative. À noter que le tour avec *de* met l'adjectif en relief : *J'ai donc une main libre* (G. Duhamel). — *Il lui reste encore un bras* DE *libre* (La Bruyère). — *Si la mer bouillait, il y aurait, comme on dit, bien des poissons* DE *cuits* (Diderot).

DE entre deux noms dont le second exprime le contenu : *Un panier* DE *fraises.* — *Un verre* DE *vin.* — *Un pot* DE *fleurs.* — *Un pot* DE *tabac.* — Voyez **POT** [pour la distinction entre *verre* DE *vin* et *verre* À *vin*].

DE nobiliaire. Se met devant les noms de nobles pour joindre le nom au prénom, au titre de noblesse, ou après *monsieur, madame, mademoiselle, monseigneur, abbé, cardinal, maréchal,* etc. : *Alfred* DE *Musset, le cardinal* DE *Retz,* etc. [Mais sans *de : Musset a écrit..., Retz l'a dit.*]

N.B. — 1. Selon Littré, on laisse le *de* devant les noms d'une syllabe ou de deux avec *e* muet, et devant les noms commençant par une voyelle ou un *h* muet : *Un livre de* DE *Thou ; le fils de* D'*Orléans.*

2. De bons auteurs laissent le *de*, quels que soient le nombre de syllabes ou l'initiale du nom.

3. La particule *du* ou *des* ne s'omet jamais : *La poésie de* DU *Bellay. La terre de* DES *Lourdines.*

DE + nom de matière (« table *de / en* marbre »). Voir **EN.**

DE devant l'infinitif sujet. Emploi facultatif : DE *trop s'arrêter aux petites choses, cela gâte tout* (Boileau). — DE *voir sa fille heureuse le rajeunit* (A. Gide). — *Voir les poissons rouges vaut bien un détour* (G. Duhamel).

DE devant une évaluation approximative marquée au moyen de deux nombres joints par *à.*

a) Avec *de : Il étaient* DE *vingt à vingt-cinq* (Acad.).

b) Sans *de : Quinze à vingt francs* (Acad.). — *Des volumes assez communs coûtaient 7 à 8 francs* (A. Billy).

DE ou **PAR** après un passif [« homme aimé *de* tous, ... *par* tous »]. Voir **COMPLÉMENT D'AGENT.**

DE introduisant un infinitif complément [par ex. : *Il cesse* DE *lire, il évite* DE *tomber*, etc.]. Voir **INFINITIF COMPLÉMENT.**

DE *lundi en huit.* Dans cette tournure, *de* est logiquement demandé pour marquer le point de départ : *Je retournerai* D'*aujourd'hui en huit à Paris* (Bossuet). — *Je déjeune précisément,* DE *demain en quinze... chez Leroy-Beaulieu* (M. Proust, cit. Robert). — D'*aujourd'hui en huit* (Acad.).

Dans la langue familière surtout, on se passe parfois de ce *de : Charles et Ariane nous invitent à dîner jeudi en huit* (J.-L. Curtis).

DE PAR. Au sens ancien : « par l'ordre de » : DE PAR *le roi des animaux...* (La Fontaine).

« *De par* le monde » [= qq. part dans le monde, ou : à travers le monde] : *Il a* DE PAR *le monde un cousin qui a fait une grande fortune* (Acad.). *Ce noble et généreux amour que tant de gens,* DE PAR *le monde, portent à notre patrie* (G. Duhamel).

De par s'emploie le plus souvent au sens de « à cause de, par l'effet de, étant donné » : *Tout individu,* DE PAR *sa constitution héréditaire, possède une originalité de principe* (J. Rostand). — *J'ai connu des êtres qui,* DE PAR *une existence exceptionnelle, avaient perdu l'habitude de la peur* (Colette).

DÉBATTRE (= contester, soumettre qqch. à un examen contradictoire ; *se débattre* = lutter). *a)* Transitif direct : *Débattre le prix d'un objet* (Littré). — *Se débattre* CONTRE *les difficultés de la vie* (Petit Robert). — *Ils se sont longtemps débattus* ENTRE *eux* (Littré). — *Se débattre* DANS *mille difficultés.* — *Se débattre* DES *pieds et* DES *mains. — Se débattre* AVEC *toutes sortes de soucis. — Se débattre* PARMI *les ronces.*

b) Transitif indirect : *Débattre* DE *qqch.,* SUR *qqch.* (Lexis).

DÉBLATÉRER. *a)* Se construit avec *contre : On déblatérait* CONTRE *la noblesse* (Chateaubriand).

b) Parfois avec *sur,* rarement avec *à l'encontre de : Il a déblatéré* SUR *l'impôt* (Hugo). — *Ce valeureux soldat (...) s'est laissé aller à déblatérer* À L'ENCONTRE DE *ma politique* (Ch. de Gaulle).

DÉBUTER. *a) Le poème débute* PAR *une invocation à la Muse* (Acad.). — *Il débuta* PAR *me dire sa souffrance* (M. Barrès). — *Notre concert débutera* PAR *une sonate de Mozart.*

b) DANS *le crime il suffit qu'une fois on débute* (Racine). — *Débuter* DANS *la carrière de la diplomatie.*

c) Débuter AVEC *succès.*

N.B. — Strictement parlant, *débuter* est intransitif. Mais on constate une forte tendance à l'employer comme transitif direct : *Nous débuterons le concert par une sonate de Mozart. — Débuter la séance par un discours* (Lexis). — *C'était en juin, mois où la garance débute sa floraison* (J. Anglade).

DÉCIDER. *a)* Avec *à* = déterminer quelqu'un à faire qqch. : *Cette raison m'a décidé* À *partir* (Acad.).

b) Avec *de* = prendre une décision au sujet de + nom, ou prendre la décision de + infin. : *C'est à vous à décider* DE *ma fortune* (Acad.). — *J'ai décidé* DE *rire dorénavant le moins possible à cause de mes rides* (Montherlant).

N.B. — 1. *Se décider* + infin. : presque toujours avec *à : Je me décidai* À *parler.* [Rare avec *de.*]

2. *Se décider pour* = se déclarer pour, donner la préférence à : *Nous nous décidâmes* POUR *ce parti* (Acad.).

DÉFENDRE. *Il défendit ce passage à lui seul* CONTRE *une vingtaine d'assaillants* (Acad.). — *On voulait lui donner cette mission, il s'est toujours défendu* DE *l'accepter* (Id.). — *Se défendre* CONTRE *un ennemi* (Id.). — *Je me défendrai,* CONTRE *tout le monde* (Ionesco). — *On nous défend* DE *fumer ici.*

DÉFIER avec un infin. : *a)* « défier *à* » = faire un défi : *Défier qqn* À *boire.*

b) « Défier *de* » = mettre au défi : *Je le défie* D'*y aller* (Littré).

DÉJEUNER, DÎNER, SOUPER. Distinction traditionnelle :

a) Avec *de* [en parlant du mets qu'on a mangé] : *Nous dînâmes* DE *soupe et* DE *bouilli* (Littré). — *Je déjeunai* DE *figues et* DE *noix* (H. Bosco).

b) « Déjeuner, dîner, souper *avec* » [= en compagnie de certaines personnes] : *J'ai déjeuné* AVEC *quelques amis* (Littré).

N.B. — L'usage ordinaire, et même littéraire, emploie *avec* même quand il s'agit du mets qu'on a mangé : *Il dînait* AVEC *du pain et des pommes de terre* (Hugo).

DEMANDER + infin. Distinguons :

a) Les deux verbes ont même sujet : on met *à : Il demande* À *parler* (Littré).

N.B. — 1. Parfois avec *de : Il me demanda, un jour,* DE *se servir du téléphone* (G. Duhamel). [Incorrect, en ce sens : « demander *pour* » : *Il demande* POUR *se servir du téléphone.*]

2. Au sens causal : « demander *pour* » : *Il demande mille francs* POUR *avoir fait cette petite réparation.*

b) Les deux verbes n'ont pas même sujet : on met *de : Je vous demande* DE *m'écouter* (Acad.). — *Je ne t'ai pas demandé* DE *venir* (J.-P. Sartre).

DEMANDER APRÈS *qqn* se trouve chez de bons auteurs, mais il a un certain cachet populaire ou familier : *Il n'a pas* *demandé* APRÈS *moi ?* (A. Dumas f.) — *Je (...) demandai* APRÈS *lui* (Vercors).

DÉMARRER. Intransitif : *Son affaire commence à démarrer* (Petit Robert). — *Le lancement du film a bien démarré* (Lexis).

Au sens de « quitter » : *Il ne veut pas démarrer* DE *son projet* (Petit Robert). — *Je ne démarrerai pas* D'*ici avant d'avoir obtenu satisfaction* (Grand Larousse de la Langue fr.).

N.B. — Familièrement, transitif direct au sens de « commencer » : *Démarrer une affaire* (Grand Larousse de la Langue fr.). — *Démarrer un travail* (Petit Robert). — *On va démarrer la campagne électorale.* [Usage condamné par l'Acad. : mise en garde du 5 nov. 1964.]

DEMEURE. Dans la phrase *Il n'y a pas péril* EN *la demeure*, le nom *demeure* a le sens ancien de « retard, délai » : *Je n'étais pas* EN *demeure de ce côté-là* (Bossuet). — *Être* EN *demeure envers qqn* = être en retard de bons offices (Littré).

DEPUIS dans des phrases du type « Je regarde *depuis* ma fenêtre... ». Ce tour, critiqué par certains, est assez fréquent, même dans l'usage littéraire : *La nuit,* DEPUIS *sa fenêtre, il regardait leur manège* (M. Arland). — *Tu pourras me voir sur la plage* DEPUIS *ton lit* (Ph. Hériat).

DÉSIRER + infin. *a)* Tour ordinaire : sans préposition : *Il désire réussir* (Acad.).

b) Archaïque et littéraire : avec *de : Elle désirait* DE *voir Marcel Coutre* (É. Henriot). — *Vous avez désiré* DE *me parler* (Montherlant).

DESTINER. *Il se destine* AU *barreau,* À *l'armée* (Acad.). — *Je destine cette somme* À *l'achat d'une terre* (Littré). — *Il y a des gens destinés* À *être sots* (La Rochefoucauld). — *Cet armement était destiné* CONTRE *la France* (Voltaire, cit. Bescherelle). — *Celle que*

Dieu avait destinée POUR *sa gouvernante* (Fléchier, *ibid.*). — *Dieu, dont la providence destine les juges* POUR *gouverner les peuples* (Id., *ibid.*). — *J'ai destiné* DE *faire cela* (Littré) [= avoir la résolution, sens vieilli].

DÉTESTER + infin. *a)* Tour ordinaire : sans préposition : *Byron détestait boire* (A. Maurois). — *Je déteste m'habiller le soir* (P. Morand).

b) On dit aussi : « détester *de* » : *Il déteste* D'*écrire* (Fr. Mauriac).

DEUIL. *a)* « Être en deuil *de* qqn », « porter le deuil *de* qqn » : *Je suis en deuil* DE *ma mère* (Chateaubriand). — *Il porte le deuil* DE *son frère* (Acad.).

b) « Être en deuil *pour* qqn » est une construction peu usitée : *Elles étaient toutes deux en deuil, sans doute* POUR *George IV* (Hugo).

DIFFÉRER. *a) Ils diffèrent* EN *cela* (Acad.). — *Les historiens diffèrent* ENTRE *eux* SUR *ce point* (Id.). — *Je conçois aisément une société meilleure qui ne diffère pas beaucoup* DE *l'ancienne* (Alain).

b) Avec un infin. : *Ne différez point* DE *mettre ordre à vos affaires* (Acad.). — Assez rarement avec *à* ou avec *pour : Je diffère (...)* À *qualifier ce pouvoir* (G. Duhamel, cit. Sandfeld). — *Rousseau a différé à ce moment* POUR *parler de Dieu à son élève* (R. Doumic, *ibid.*).

DIFFICILE. *Un problème difficile* À *résoudre* (Acad.). — *Être difficile* SUR *tout* (Littré). — *Un homme difficile* EN *son manger* (Bescherelle).

DIRE. *a)* Parallèlement à « on dirait un fou » (Acad.), on a : « on dirait *d'*un fou » (Id.) : *On eût dit* D'*un oiseau nocturne lâché dans le grand jour* (Fr. Mauriac).

N.B. — Même observation pour *on croirait, on jurerait*, etc.

b) Dire qqch À *qqn. — Dire du bien* DE *qqn. — On ne peut rien dire* SUR *sa conduite* (Robert). — *Je n'ai rien à dire* CONTRE *lui* (Id.).

DISCERNER. *a) Discerner le vrai* DU *faux* (Acad.).

b) Pour marquer plus fortement la différence : *Discerner le flatteur* D'AVEC *l'ami* (Acad.).

DISCOURIR. *Discourir* D'*une affaire,* SUR *une affaire* (Acad.).

DISCUTER. Parallèlement à *discuter une affaire*, on a : *discuter* D'*une affaire* (Acad.). — *On ne peut pas discuter* AVEC *lui, il est de mauvaise foi* (Petit Robert). — *Discuter* SUR *des détails* (Id.). — *Discuter* SUR *la pointe d'une aiguille* [vieux], SUR *des pointes d'aiguille* (Id.).

DISPUTER. *Il y a donc un bon et un mauvais goût, et l'on dispute* DES *goûts avec fondement* (La Bruyère). — *Ces deux familles disputent* DE *noblesse* (Acad.). — *Disputer* SUR *telle proposition* (Id.). — *Je mettrai mes raisonnements par écrit pour disputer* AVEC *vous* (Molière). — *Je me sens en humeur de disputer* CONTRE *vous* (Id.). — *Le disputer* À *quelqu'un* EN *valeur* (Acad.). — *Disputer un poste* À *des rivaux* (Petit Robert). — *Il se disputa* AVEC *son portier* (Littré).

DISTINGUER. *a) Je pense qu'il ne s'était même pas donné la peine de distinguer un visage* D'*un autre* (M. Déon). — *C'est la raison qui distingue l'homme* DES *animaux* (Acad.).

b) Pour marquer plus fortement la différence de deux personnes ou de deux choses, on emploie *d'avec : Distinguer l'ami* D'AVEC *le flatteur* (Acad.). — *Distinguer la fausse monnaie* D'AVEC *la bonne* (Id.).

c) Je vous distinguerai ENTRE *mille* (Bescherelle). — *Se distinguer* ENTRE *tous ses rivaux* (Acad.).

d) Se distinguer PAR *son savoir* (Robert).

e) Les participes se distinguent EN *participes présents et participes passés* (Littré).

DIVISER. *a)* = partager : *Diviser une ville* EN *arrondissements,* PAR *arrondissements* (Acad.). — *Ils se divisèrent* EN *petits groupes* (Id.). — *Je divisai mon argent* ENTRE *eux* (Littré).

b) = séparer (vieux) : *Il* [Jésus-Christ] *ne veut pas même que son père les divise* DE *lui dans son affection* (Bossuet, cit. Littré). — *Ces mers qui divisent la Grèce* D'AVEC *l'Italie* (Fénelon, *ibid.*).

DIVORCER. Au choix : « divorcer *avec* » ou « divorcer *d'avec* » : *Mélek (...) ayant enfin divorcé* AVEC *un mari atroce* (P. Loti). — *L'héroïne avait divorcé* D'AVEC *un mari indigne* (R. Rolland).

N.B. — Parfois : « divorcer *de* » : *Elle a divorcé* DE *mon père* (H. Troyat).

DOUÉ peut se construire avec *de, pour, en : Cet homme est doué* D'*une grande sagesse. — Un élève doué* POUR *les langues. — Cet enfant est doué* EN *dessin.*

DOUTE, DOUTER. *a)* « Avoir des doutes *sur* » : *Avoir des doutes* SUR *la fidélité de qqn* (Petit Robert).

b) « Mettre qqch. *en* doute » : *Mettre une assertion* EN *doute* (Petit Robert).

c) « Douter *de* » : *Il ne doute* DE *rien* (Acad.). — *Douter* DE *l'authenticité d'une nouvelle* (Petit Robert).

Avec un infinitif : *Il doutait* DE *recevoir un tel présent* (Littré). — *Et l'on doute ensuite* D'*avoir aperçu quelque chose* (A. Robbe-Grillet).

DURANT, PENDANT. Si l'on tient compte de l'étymologie (mais l'usage n'est pas toujours aussi net) :

a) Durant implique l'idée de durée : DURANT *la campagne, les ennemis se sont tenus enfermés dans leurs places* (Littré). — DURANT *toute sa vie* (Acad.).

b) Pendant peut n'impliquer qu'une portion limitée de la durée : *C'est* PENDANT *cette campagne que s'est livrée la bataille dont vous parlez* (Littré).

ÉCHANGER. Voir **CHANGER.**

ÉCHAPPER. *a)* Au sens de « être soustrait à, préservé de » ou de « n'être pas perçu par les sens, être dit ou fait par négligence, par maladresse », se construit avec *à : Échapper* À *la mort* (Acad.). — *Afin d'échapper* À *la police de Rabat* (Mac Orlan). — *Des insectes si petits échappent* À *la vue* (Acad.).

b) Au sens de « sortir par la ruse, par la fuite », ou de « tomber, glisser », se construit avec *de : Il échappe* DE *prison* (Littré). — *L'objet échappa* DE *mes mains* (Acad.).

N.B. — Vieux : « échapper qqch. » (= éviter) : *Vous n'avez pas échappé le scrupule* (A. Hermant). — On dit encore : *Vous l'avez échappé belle.*

ÉCRIRE. « Écrire *avec* ou *par* deux *n » :* les deux tours sont bons : *Ce mot ne devrait s'écrire qu'*AVEC *une* n (Littré). — *Elle écrit catégorie* PAR *un* th (Flaubert).

EFFORCER (S' ~) + infin. Au choix :

a) Avec *à : Ne vous efforcez point* À *parler* (Acad.). — *Ce n'était d'ailleurs que par acquit de conscience que je m'efforçais encore* À *douter et* À *objecter* (M. Aymé). — *Elle s'efforçait en vain* À *sourire* (A. Gide).

b) Avec *de : S'efforcer* DE *soulever un fardeau* (Acad.). — *Je vais m'efforcer* D'*y introduire un peu d'ordre* (Fr. Mauriac).

c) Parfois avec *pour : Lui s'efforce (...)* POUR *s'intéresser à mes recherches* (P. Arène).

ÉLANCER. *L'espérance et le désir nous élancent* VERS *l'avenir* (Littré).

S'emploie à peu près uniquement comme pronominal : *Le chien s'élança* SUR *lui* (Acad.). — *Mon âme s'élançait* VERS *Dieu* (Id.). — *En le voyant, il s'élança* DANS *ses bras* (Littré). — CONTRE *moi sur mon banc je le vois qui s'élance* (Boileau).

ÉLEVER. *Élever une statue* À *un grand homme.* — *Élever qqn* AUX *honneurs.* — *S'élever* PAR *son talent.* — *Le ballon s'élève* EN *l'air.* — *Élevez* DE *deux mètres ce mur.* — *Des vapeurs s'élèvent* DU *sol.* — *Il a été élevé* DANS *un collège anglais.* — *Le total s'élève* À *dix mille francs.* — *Tout le monde s'éleva* CONTRE *lui* (Acad.). — *Il faut pourtant s'élever* AU-DESSUS DE *ces nations querelleuses* (Alain).

EMBARRASSER. *a)* Avec *de : C'est un homme qui ne s'embarrasse* DE *rien* (Acad.). — *Il est fort embarrassé* DE *répondre* (Id.). — *Une pièce embarrassée* DE *meubles* (Lexis). — *Un sot est embarrassé* DE *sa personne* (La Bruyère).

b) Avec *dans : Il s'embarrassa* DANS *ses éperons et tomba* (Acad.). — *S'embarrasser* DANS *ses explications* (Id.). — *Embarrassé* DANS *les plis de son manteau* (Littré).

c) Avec *par : La rue est embarrassée* PAR *des voitures* (Littré).

d) « Embarrassé *avec* » : *Muets et embarrassés* AVEC *les savants* (La Bruyère).

EMPRESSER (S' ~) [= témoigner de l'ardeur] + **infin.**

a) Avec *à : S'empresser* À *faire sa cour* (Acad.). — *Directeurs et artistes s'empressèrent* À *lui plaire* (R. Rolland).

b) Parfois avec *pour : Narcisse plus hardi s'empresse* POUR *lui plaire* (Racine).

N.B. — Quand *s'empresser* signifie « se hâter », il construit l'infinitif avec *de : Je m'empresserai* DE *l'avertir* (Acad.).

EN ou **DE** + nom de matière.

a) Avec *de : Table* DE *marbre* (Acad.). — *Une tabatière* D'*or* (Id.).

b) Avec *en : Vêtement* EN *linge ou* EN *laine* (Acad.). — *Une montre* EN *or* (A. Maurois). — *Et l'on prit un drap blanc dans l'armoire* EN *noyer* (Hugo).

N.B. — Dans les expressions figurées, il faut *de : Mon âme* DE *cristal* (Hugo). — *Il faut une santé* DE *fer sous ce climat* (É. Fabre).

EN + indication de durée. On dit : *Faire un travail* EN *deux heures,* EN *trois jours.* — *Il couvrit la distance* EN *deux heures* (Fr. Carco).

N.B. — Ne pas dire : « faire un travail *sur* deux heures, *sur* trois jours ».

EN + nom de ville. *a)* Construction ordinaire, même devant *A- : Je vais, je suis* À *Avignon,* À *Arles,* À *Arras,* À *Aix,* etc. : *De retour* À *Avignon* (Chateaubriand). — *Elle fut mandée* À *Aix* (M. Barrès).

b) Certains emploient « *en* Avignon, *en* Arles », etc. quand ils veulent donner à la phrase une teinte méridionale : *Je bus du café à Brignoles, j'en bus* EN *Avignon* (Fr. Nourissier).

ENCONTRE (À L' ~ DE). Pour Littré et pour l'Académie, cette locution signifie « en opposition à » : À L'ENCONTRE DU *précédent orateur, je dirai que...*

N.B. — « À l'encontre de » s'emploie couramment au sens élargi de « contre » : *Il redoutait quelque lâche et subtile machination* À L'ENCONTRE DE *la jeune comédienne* (Th. Gautier). — *Des groupes armés sortant des maquis cédaient à l'impulsion de faire justice, sans forme de procès,* À L'ENCONTRE DE *leurs persécuteurs* (Ch. de Gaulle). — *Les premiers symptômes de méfiance des partis* À L'ENCONTRE DES *communistes* (P. Daix).

ENDÉANS, courant en Belgique, est étranger à l'usage français. Au lieu de *endéans (les) trois jours*, on dit, en français normal : « *dans* trois jours » [= à la fin du laps de temps], « *dans les* trois jours » [= à l'intérieur du laps de temps], « *dans l'intervalle de* trois jours », « *dans le* [ou *un*] *délai de* trois jours » : *Il arrivera* DANS *trois jours* (Acad.). — DANS L'INTERVALLE DE *trois ans* (Code civil).

N.B. — Tour vieilli : « *sous* trois jours » : *L'arrêt est exécutoire* SOUS *trois jours* (Hugo).

ENDURCIR. *Il est bon d'endurcir de bonne heure les jeunes gens* AU *travail* (Acad.). — *S'endurcir* À *la douleur* (Id.). — *S'endurcir* DANS *le crime,* AU *crime* (Id.). — *Des mains laborieuses endurcies* DE *cals* (Voltaire, dans le Petit Robert). — *Il s'endurcit* CONTRE *les cris de sa conscience* (Massillon, cit. Bescherelle).

ENNUYER. *a)* « S'ennuyer *à* » + infin. : *S'ennuyer* À *attendre* (Littré).

b) Même sens : « s'ennuyer *de* » + infin. : *S'ennuyer* D'*attendre* (Littré).

c) « S'ennuyer *de* qqn », c'est éprouver de la contrariété à cause de son absence : *Je m'ennuie* DE *vous* (Flaubert). [Populairement : *S'ennuyer* APRÈS *qqn.*]

d) Impersonnellement, avec *de* + infin. : *Il m'ennuie* D'*être si longtemps séparé de vous* (Acad.).

ENTENDRE. *a)* Transitif direct, au sens de « percevoir par l'ouïe » ou de « saisir par l'intelligence » : *Entendre le son des cloches. — Il entend un peu l'anglais* (Acad.).

b) « Entendre *à* qqch. », c'est y donner son consentement, l'approuver : *Il ne veut entendre* À *aucun engagement* (Acad.).

c) « S'entendre *à* qqch., *en* qqch. » [= pouvoir bien juger de] : *Il s'entend* À *la culture* (Littré). — *S'entendre* EN *tableaux* (Acad.). — *Il ne s'y entend pas* EN *peinture* (R. Kemp).

N.B. — 1. « S'entendre *avec* qqn » [= se concerter avec lui ; sympathiser avec lui ; se mettre d'accord avec lui] : *Il est d'un commerce agréable, et je m'entends fort bien* AVEC *lui* (Acad.). — *S'entendre* AVEC *les ennemis* (Id.). — *Entendons-nous* SUR *l'heure du rendez-vous* (Petit Robert).

2. « S'entendre *pour* » + infin. : *Ils s'entendaient* POUR *le perdre* (Acad.). — *Vous avez eu l'impression qu'ils s'étaient tous entendus* POUR *vous tendre un piège* (M. Butor).

ENTOUR. « À l'entour de » : locution vieillie [on dit de nos jours : *autour de*] : *Le malheureux lion se déchire lui-même, / Fait résonner sa queue* À L'ENTOUR DE *ses flancs* (La Fontaine). — *Oh ! mets tes bras* À L'ENTOUR DE *mon cou !* (Hugo.)

N.B. — On écrit parfois « alentour de » : ALENTOUR DE *la ville, de grands champs de céréales, mais pas de trace des champs de pavots dont parle Joanne* (A. Gide).

ENTRE. Distinguons : *a)* « entre » = dans l'espace, dans le temps qui sépare ; ou : au milieu de ; ou marquant un certain rapport : *Il était assis* ENTRE *nous deux* (Acad.). — *Il lui a dit cela* ENTRE *la poire et le fromage* (Id.). — *L'entente régnait* ENTRE *eux.*

b) « *D'*entre » = du milieu de : *Jésus ressuscita Lazare* D'ENTRE *les morts. — On l'a retiré* D'ENTRE *ses mains* (Acad.).

N.B. — 1. On peut dire : *entre chaque, entre chacun : Poussant des soupirs* ENTRE *chaque mot* (Flaubert). — *J'attendais* ENTRE *chaque phrase* (A. Gide). — *Ici que d'espace, que d'air,* ENTRE *chacun des mouvements* (Saint-Exupéry).

2. *Entre autres* peut s'employer absolument (= par exemple, en particulier, notamment) : *Corps dur et solide, de la nature des roches, qu'on emploie,* ENTRE *autres, pour bâtir* (Littré). — *Je me souviens,* ENTRE *autres, que M. Dubois nous récitait avec enthousiasme de certains vers de Voltaire ou de lui* (Stendhal).

ENVIRON, d'ordinaire adverbe, a été, à l'époque classique, couramment employé comme préposition : ENVIRON *le temps / Que tout aime et que tout pullule dans le monde* (La Fontaine). — ENVIRON *l'an 1492* (Voltaire).

Cet usage n'est pas abandonné dans la littérature : *C'était* ENVIRON *les années où Adler concevait son Avion* (M. Genevoix). — *J'ai composé,* ENVIRON *ce moment, en écolier de Maupassant, un roman de style réaliste* (G. Duhamel).

N.B. — « Aux environs de », au sens temporel (emploi critiqué) est courant : AUX ENVIRONS DE *1660, l'art de la chaire en France est dans sa plénitude* (Daniel-Rops).

ENVOYER + infin. *a)* Si la personne envoyée fait l'action : pas de préposition : *Elle envoyait une infirmière la remplacer* (P. Bourget).

N.B. — Parfois avec *pour : J'envoyai mon fils au-devant de lui l'assurer...* ou POUR *l'assurer...* (Littré).

b) Si la personne envoyée ne fait pas l'action : avec *pour : J'envoyai mon fils au-devant de lui* POUR *l'empêcher de venir* [c'est moi qui empêche] (Littré).

ÉQUIVALOIR. On dit : « équivaloir *à* qqch. » : *En musique une blanche équivaut* À *deux noires* (Acad.). — *Cette réponse équivaut* À *un refus* (Id.).

N.B. — Incorrect : *Telle chose équivaut telle autre* [il faut : À *telle autre*].

ÈS. Vieille forme [= en les ; l'*s* se prononce]. Seulement avec un nom pluriel, dans quelques locutions figées : *Maître* ÈS *arts,* *docteur* ÈS *lettres.* — Par extension, dans la langue littéraire : *Spécialistes* ÈS *sciences occultes* (Daniel-Rops). — *Maître* ÈS *réalités* (M. Yourcenar).

N.B. — 1. Certains écrivains ont employé *ès* avec un nom singulier : *Un étudiant* ÈS *philosophie* (J. Benda). — *Les experts* ÈS *politique* (P. Daninos). — *Un maître* ÈS *conduite* (J. Orieux). [Usage qui ne tient pas compte de l'étymologie ; il est admis par Nyrop.]

2. *Ès qualités :* dans la langue juridique, « en tant qu'exerçant la charge, la fonction dont on est investi » : *Le délégué du personnel a-t-il parlé* ÈS *qualités ou comme personne privée ?* (Grand Larousse de la Langue fr.)

ESPÉRER + infin. *a)* Usage ordinaire : pas de préposition : *J'espérais bien pleurer* (Musset). — *Je n'espère pas beaucoup vous revoir* (Colette).

b) Dans l'usage littéraire : assez fréquemment avec *de : Je ne puis espérer* DE *faire entendre cette réponse* (Nerval). — *Ne peut-on pas espérer* DE *vous voir à nouveau sur la Superbe ?* (A. Chamson.)

ÊTRE DEUX, TROIS, PLUSIEURS, etc. *Nous étions trois à cette réunion.* [Ne dites pas : ...À *trois...*]

N.B. — Avec d'autres verbes que *être,* la préposition *à* est correcte, quand il y a une idée de collaboration, de communauté : *Ils soulevèrent ce fardeau* À *trois.* — *Nous nous sommes mis* À *plusieurs pour peindre ce chef-d'œuvre* (A. Gide).

ÊTRE (SI J'ÉTAIS VOUS, DE VOUS). On distingue (mais la nuance est parfois fort subtile) :

a) Sans *de* [= si j'étais la personne que vous êtes] : *Si j'étais vous, dit-il enfin d'une voix lente, je ne sourirais pas* (J. Green).

b) Avec *de* [= si j'étais à votre place, dans la situation où vous êtes] : *Si j'étais* DE *vous, Madame, j'irais chez M. Guillaumin* (Flaubert). — *Si j'étais* DE *Philippe, je montrerais moins de patience* (Fr. Ambrière).

ÊTRE + indication de temps :

a) Tours ordinaires : « être *au* printemps, *en* été, *en* automne (ou : « *à* l'automne »), *en* hiver ».

b) Parfois : *Nous étions* À *l'hiver* (Musset). — De même : *Dans une plaine que recouvrent* À *l'été des moissons* (É. Herriot).

c) Si l'on veut préciser qu'on est « à l'intérieur » de la saison : « être *dans* l'été, *dans* l'hiver », etc.

d) Au choix : « être *au* lundi, *à* lundi, *au* 6 du mois, *à* demain », etc. : *On était* AU *samedi* (Flaubert). — *J'ai une diable d'envie d'être* À *demain* (Barbey d'Aurevilly) ; — ou bien, sans préposition : *Nous sommes mardi* (J. Giraudoux). — *Nous étions le 6 mai* (A. France).

ÉVERTUER (S' ~) + infin. *a)* Avec *à : Il s'évertue* À *faire de l'esprit* (Acad.).

b) Avec *pour : Il a beau s'évertuer* POUR *se tirer d'affaire, il n'y peut parvenir* (Acad.).

ÉVITER. Le bon usage admet « éviter qqch. *à* qqn » [= le lui épargner] : *Pour éviter* À *la fleur le contact de la terre légère* (Colette). — *Je suis un père qui évite* À *son fils un piège où il est tombé lui-même* (J. Cocteau).

EXCEPTÉ. Si le terme duquel on excepte est régi par une préposition :

a) Ordinairement cette préposition se répète : *Je crois bien que ce Lulli était un homme odieux, un méchant homme, si vous voulez, qui méritait d'être tué* PAR *tout le monde, excepté* PAR *le bourreau* (D'Alembert, cit. Littré). — *Abandonné* DE *tous, excepté* DE *sa mère* (Hugo).

b) Sans répétition de la préposition : *Il le* [Dieu] *faut regarder comme l'auteur de tous les biens et* DE *tous les maux, excepté le péché* (Pascal, cit. Littré). — *On accorda la liberté* AUX *prisonniers, excepté les prisonniers politiques.*

N.B. — Règle analogue pour : *hors, hormis, sauf, y compris : On accorda l'amnistie* AUX *rebelles, hors (hormis, sauf, y compris)* AUX *meneurs ;* ou : ... *hors, hormis, sauf, y compris les meneurs.*

EXCIPER. Terme juridique : = alléguer une exception en justice. N'est usité qu'avec un complément introduit par *de : Exciper* DE *l'autorité de la chose jugée* (Acad.). — *L'on ne peut déconsidérer la science en excipant* DES *erreurs qu'elle a elle-même engendrées et véhiculées* (J. Fourastié).

EXCUSER, S'EXCUSER. *a)* Avec *de : Je ne m'étais chargé dans cette occasion / Que d'excuser César* D'*une seule action* (Racine). — *La reine daigna s'excuser* DU *dérangement qu'elle me causait* (A. Hermant). — *S'excuser* DE *faire une chose* (Littré).

b) Avec *sur : Je vous excusai fort* SUR *votre intention* (Molière). — *Ils s'excusent par avance* SUR *leur défaut de mémoire* (A. Hermant). — *S'excuser* SUR *un autre* [= rejeter la faute sur un autre] (Acad.).

c) Avec *pour : Il entra, (...) n'eut pas même l'idée de s'excuser* POUR *son retard de quarante-huit minutes* (J. Anglade).

d) « (S')excuser *à* qqn » [= (se) disculper auprès de qqn], tour vieilli : *La dame de ces biens, quittant d'un œil marri / Sa fortune ainsi répandue, / Va s'excuser* À *son mari, / En grand danger d'être battue* (La Fontaine). [On dit plutôt aujourd'hui : « s'excuser *auprès de* qqn ». En outre, *s'excuser* signifie ordinairement à notre époque : « exprimer ses regrets », et non « s'efforcer de se justifier ».]

FACE. On peut dire : *a)* « face *à* » : *Assise* FACE AUX *jeunes gens* (H. Troyat). — *Martyr de l'individualisme* FACE À *tous les systèmes de coercition* (B. Poirot-Delpech).

b) « En face *de* » ou : « en face » (sans *de*) : *Sa maison est* EN FACE DE *l'église* (Acad.). — *L'église sise* EN FACE *le magasin de nouveautés* (M. Proust). — *C'était tout à côté,* EN FACE *la gare* (Tr. Bernard).

c) « Face à face *avec* » : *Se trouver face à face* AVEC *quelqu'un* (Acad.).

N.B. — Parfois : « face à face *de* » : *Je me trouvai face à face* DE *M. le duc d'Orléans* (Chateaubriand). — *Me voici donc face à face* DE *mon petit homme de cuivre* (Michelet).

FÂCHER. *Je suis fâché* DE *ce contretemps* (Petit Robert). — *Nous sommes bien fâchés* DE *n'avoir pu l'aider* (Id.). — *Il me fâche* DE *vous quitter* [emploi qui tend à vieillir, dit l'Acad.]. — *Tout son art* [de l'envieux] *est de fâcher chacun* CONTRE *soi* (Alain).

« Se fâcher *avec* qqn », c'est se brouiller avec lui : *Il était fâché* AVEC *son père* (A. Billy).

« Se fâcher *contre* qqn », c'est se mettre en colère contre lui : *Je me suis fâché tout rouge* CONTRE *lui* (Flaubert).

N.B. — Ne dites pas : « se fâcher *sur* qqn, se fâcher *après* qqn ».

FAIRE (NE ~ QUE) + infin. — On distinguera :

a) Sans *de :* idée de continuité, ou de restriction : *Il ne fait que jouer* = il joue sans cesse, n'arrête pas de jouer. — *Je ne fis que le toucher, et il tomba* (Acad.). — *Ils expliqueront beaucoup de choses que nous ne faisons encore que sentir* (H. Bremond).

b) Avec *de :* idée d'un passé très proche : *Ne faire que* D'*entrer, que* D'*arriver, que* DE *s'éveiller*, etc. = n'être entré, arrivé, éveillé, etc., que depuis très peu de temps (Acad.). — *Il ne fait que* DE *sortir* [= il vient de sortir] *de ma chambre* (Mme de Sévigné). — *Le soleil ne faisait que* DE *paraître à l'horizon, lorsque le frère d'Amélie ouvrit les yeux dans la demeure d'un Sauvage* (Chateaubriand).

Pour *Il fait bon (de)* + infin., voyez BON.

FAIT (À ~ QUE). Belgicisme, pour : « à mesure que, au fur et à mesure que » : À MESURE *que l'un avançait, l'autre reculait* (Acad.). — *Ses alarmes se dissipaient, d'ailleurs,* À MESURE *qu'il se rapprochait de son malade* (R. Martin du Gard). — *On les payait* AU FUR ET À MESURE *qu'ils travaillaient,* AU FUR ET À MESURE *de l'ouvrage* (Acad.).

FAUTE. *a)* Usage classique : « C'est ma faute » : *Si l'entreprise a échoué, ce n'est pas ma faute* (Acad.).

b) Usage courant, même littéraire : « C'est *de* ma faute » : *Ce n'est pas* DE *ta faute* (A. Camus). — *Ce n'était pas* DE *notre faute* (Colette). — *Est-ce* DE *ma faute s'il est riche ?* (A. Billy.)

c) On dit : *Je ne suis pas* EN *faute* (G. Duhamel). — *Ce n'est pas* PAR *sa faute que cela est arrivé* (Acad.).

N.B. — 1. *C'est la faute* DE *Bilboquet* (Nerval). — [Populaire : *C'est la faute* À *Voltaire.*]

2. *Faute de* = par manque de : *Faute* DE *grives, on mange des merles.* — *C'est seulement faute* DE *modestie que la politesse va aux lieux communs* (Alain).

FAUTEUIL. *a)* On dit : « *dans* un fauteuil » : *Je m'assis* DANS *un fauteuil* (Musset). — *La bonne femme, affaissée* DANS *un fauteuil, geignait* (Maupassant).

b) Mais on dit aussi : « *sur* un fauteuil » : *M. Henriot s'asseyait* SUR *un fauteuil de paille* (M. Arland).

N.B. — Mêmes observations pour *bergère :* « *dans* ou *sur* une bergère ». Mais on dit : « *sur* un canapé, *sur* un divan, *sur* un sofa ».

FÉLICITER, avec un nom ou un infinitif :

a) « Féliciter *de » : Féliciter qqn* DE *ses succès* (Dict. gén.). — *Je l'ai félicité* DE *son discours* (Hugo). — *Je crois devoir le féliciter* DE *ses fiançailles* (M. Tournier). — *Je vous félicite* D'*avoir si bien parlé.*

b) « Féliciter *pour » : Nous le félicitâmes* POUR *son appétit* (J. Cayrol).

c) « Féliciter *sur »* est un tour vieilli : *L'infirmière la félicita* SUR *sa bonne mine* (Edm. Charles-Roux).

d) « Se féliciter [= s'estimer content] *de »* + infin. : *Je me félicite* D'*avoir fait un si bon choix* (Acad.).

e) On dit « félicitations *pour* », « félicitations *à l'occasion de* », « félicitations *sur » : Recevoir des félicitations d'un directeur* POUR *la qualité d'un travail* (Grand Larousse de la Langue franç.). — *Adresser ses félicitations à qqn* À L'OCCASION DE *son mariage* (Id.). — *Je vous adresse mille félicitations* SUR *le succès moral et matériel de votre œuvre* (G. Sand).

FEMME DE JOURNÉE. On dit : « femme *de* journée, homme *de* journée, femme *de* ménage, femme *de* charge » : *Elle protestait comme les autres, quand le prix d'une heure de femme* DE *journée montait de dix sous* (P.-H. Simon).

N.B. — Ne dites pas : « femme *à* journée ».

FIANCER. Voir **MARIER.**

FIER (SE ~) [= accorder sa confiance, compter sur]. Trois constructions :

a) Construction ordinaire : « se fier *à » : Se fier aveuglément* À *qqn* (Acad.). — *Je me fie* À *votre discrétion* (Id.). — *Vous fiez-vous encore* À *de si faibles armes ?* (Racine.)

b) « Se fier *sur* » : SUR *l'avenir, insensé qui se fie* (Racine). — *Se fier trop* SUR *ses propres forces* (Acad.). — *Je me fie* SUR *vous pour me tirer d'embarras* (Bescherelle).

c) Parfois : « se fier *en* » [archaïque] : *Je vous manderai toujours sincèrement comme je suis ; fiez-vous* EN *moi* (Mme de Sévigné). — *Je me fie* EN *vous* (Bescherelle).

N.B. — Archaïque : « se fier *de* qqn, ... *de* qqch. » : *Aspathine et Gobrias, les premiers des Perses et* DE *qui plus il se fiait* (P.-L. Courier, cit. Littré). — *Je me fie à vous* DU *soin de mes intérêts* (Robert).

FIN, suivi de l'indication du mois :

a) Usage strict : avec *de : On était à la fin* DE *juin* (R. Bazin). — *Nous étions à la fin* DE *mars* (G. Duhamel). — *À la fin* DE *mars, George et Alfred ne vivaient plus ensemble* (A. Maurois).

b) On dit aussi, sans *de* (surtout dans l'usage familier) : *C'était la fin février* (G. Duhamel). — *Nous étions fin décembre* (H. Bosco).

FINIR. *a) Je ne finirais pas* À *vous les raconter* [les hauts faits de qqn] (Littré).

b) Finir DE *parler* (Acad.). — *Finissez* DE *faire votre travail* (Petit Robert).

c) Finir un discours PAR *une belle péroraison* (Acad.). — *Je finis pourtant* PAR *me lever* (J. Romains).

d) Elles ne finissaient point SUR *ce sujet* (Mme de Sévigné).

e) En finir AVEC *un ennemi* (Acad.).

FOIS. *a)* « Chaque fois, toutes les fois », etc. : *Chaque fois qu'on lui en parle* (Acad.).

b) On dit aussi : « *à* chaque fois, *à* toutes les fois », etc. : *Race infidèle, me connaissez-vous* À *cette fois ?* (Bossuet.) — À *chaque fois que l'heure sonne* (Hugo).

c) Pour marquer la périodicité : *Qui a lieu une fois* PAR *semaine.* — Sans préposition : *Trois ou quatre fois la semaine, à la nuit noire, il arrivait dans le jardin* (Flaubert).

FORCER + infin. Indifféremment :

a) Avec *à : Forcer qqn* À *faire qqch.* (Acad.). — *Il m'a forcé* À *signer* (Daniel-Rops).

b) Avec *de : Que l'on ne me force point* D'*écouter, en outre, un orchestre* (G. Duhamel).

N.B. — Parfois avec *pour : On ne vous force pas* POUR *manger* (A. Lichtenberger, cit. Sandfeld).

FORMER. *a) Dieu a formé l'homme* À *son image.*

b) Je ne suis point formé DU *sang asiatique* (Voltaire, dans Littré).

FRAPPER. *Frapper* À *la porte.* — *Frapper* À *bras raccourcis.* — *Frapper qqn* DE *stupeur,* DE *crainte.* — *Frapper qqn* AVEC *un bâton.* — *Dieu l'a frappé* DANS *ce qu'il avait de plus cher* (Acad.). — *Ah ! tu sais me frapper* PAR *où je suis sensible* (Corneille). — *Frapper* SUR *la table,* CONTRE *un mur.* — *Frapper* ENTRE *les deux yeux.* — *Frapper* SANS *pitié.*

GARDE. Voyez **PRENDRE GARDE.**

GOÛT. *a)* [= convenance, sentiment qu'on a de qqch.] : au choix : « *à* mon goût » ou « *de* mon goût » : *Cela est* À *mon goût* (Robert). — *Cette plaisanterie ne fut pas* DE *son goût,* À *son goût* (Id.).

b) [= penchant, disposition] : au choix : « le goût *de* » ou « du goût *pour* » : *Il a le goût* DE *la solitude, ... du goût* POUR *la solitude. — Donner à un enfant du goût* POUR *la chimie* (Robert).

GOÛTER. Sans distinction réelle :

a) « Goûter *à* qqch. » : *Quand voulez-vous goûter* À *notre vin ?* (Littré). — *J'ai goûté* À *la nourriture des élèves* (G. Duhamel).

b) « Goûter *de* qqch. » : *Goûtez* DE *cette volaille, elle est excellente* (Acad.).

N.B. — 1. Pour l'Académie : « goûter *à* qqch. », c'est en mettre un peu dans la bouche pour en apprécier la saveur ; « goûter *de* qqch. », c'est en boire ou en manger pour la première fois.

2. *Goûter*, transitif direct : *Ce courtier goûte bien le vin, les vins* (Acad.).

3. Ne dites pas : *Est-ce que ce mets vous goûte ? — Ce vin goûte le bouchon.* — Il faut dire : *Goûtez-vous ce mets ? Vous plaît-il ? Est-il à votre goût ? — Ce vin a un goût de bouchon.*

GRÂCE (AVOIR BONNE ou MAUVAISE ~) + infin.

a) Tour ordinaire : avec *à : Il a eu bonne grâce* À *tenir cette conduite* (Acad.).

b) Vieilli : avec *de : J'aurais mauvaise grâce* DE *refuser* (Stendhal).

GUÉRIR. On dit : *a)* Avec comme objet direct le nom de la maladie : « guérir un mal » : *Guérir une plaie* (Acad.).

b) Avec *de : Guérir qqn* DE *la fièvre* (Acad.). — *Cet enfant est parvenu à se guérir* DE *la peur* (Id.).

HABITER. *a)* Transitif direct : *J'habite une villa, j'habite Bruxelles. — Habiter Paris, habiter la province, la campagne* (Acad.).

b) Intransitif : *J'habite* DANS *une villa, j'habite* À *Bruxelles.* — *Habiter* À *la ville* (Acad.). — *Habiter* DANS *un vieux quartier,* DANS *une maison neuve* (Id.). — *Il habite* EN *rase compagne* (Bescherelle). — *Habiter* SOUS *des tentes* (Id.). — *Tous ceux qui habitent* SUR *la terre* (Id.). — *Il habite* AVEC *son frère* (Id.). — *J'habite* CHEZ *mon père* (Id.).

N.B. — Voyez RUE.

HABITUER, HABITUDE. On dit :

a) « Habituer *à* » : *Habituer les jeunes gens* À *la fatigue,* À *supporter le froid et le chaud* (Acad.). — *S'habituer* À *parler en public* (Id.).

b) « L'habitude *de* » : *Avoir l'habitude* DU *cheval* (Acad.). — *Être dans l'habitude* DE *faire une chose* (Id.).

N.B. — Archaïque : *La France n'était pas habituée* DE *courir si souvent à Reims* (M. Druon).

HÉRITER. *a)* Avec *de* pour le complément de la personne : *Il a hérité* DE *son oncle* (Acad.).

b) Quand *hériter* n'a que le complément de la chose, on a, au choix : « hériter *de* qqch. » ou « hériter qqch. » : *Émilie n'a pas hérité* DE *votre prudence* (Fr. Mauriac). — *Nous avons hérité ce caractère* (A. Arnoux).

c) Quand *hériter* a à la fois le complément de la personne et celui de la chose, on dit : « hériter qqch. *de* qqn » : *Il avait hérité* DE *l'oncle Henri ses amitiés et ses dégoûts* (É. Henriot).

N.B. — On ne dit pas *hériter de qqch. de qqn,* mais cette construction se rencontre parfois avec *dont* ou avec le pronom *en : Un secret* DONT *j'ai hérité* DE *mes frères* (Ch. Nodier). — *L'Italie n'a pas inventé la mosaïque : elle* EN *hérita* DES *Grecs* (Cl. Roger-Marx).

HÉSITER. *a) Hésiter* DANS *les affaires* (Acad.). — *Il a longtemps hésité* SUR *le choix de la profession qu'il doit embrasser* (Id.). — *Hésiter* ENTRE *le vice et la vertu* (Id.).

b) Avec un infin. : *Il n'hésite point* À *répondre* (Acad.). — Parfois avec *pour : Le prince hésita* POUR *répondre* (A. Daudet, cit. Sandfeld). — Moins souvent avec *de : Je n'ai pas hésité* DE *vous soumettre mes doutes sur cette matière* (Voltaire, dans Littré).

HEURE. *a)* On peut dire (surtout dans l'usage littéraire) : « cent km *par* heure, etc. » : *Le son parcourt trois cent trente-sept mètres* PAR *seconde* (Acad.). — Voir **PAR.**

b) Le plus couramment : « cent km *à* l'heure, etc. » : *Ce navire file dix nœuds* À *l'heure* (Acad.).

N.B. — 1. Populairement : *Elle demandait dix sous* DE *l'heure* (G. Duhamel). — *Se lever* À *bonne heure* (pour : « *de* bonne heure »).

2. Pour marquer une certaine approximation : SUR *les une heure* [= vers les une heure] (Littré). — SUR *les deux heures du matin, il en est revenu à sa goutte d'eau* (Diderot).

HEURTER. *a)* Transitif direct : *Heurter qqn* (Acad.). — *Ce vaisseau a heurté l'autre* (Id.). — *Heurter les intérêts, les préjugés, l'opinion* (Petit Robert).

b) Intransitif : 1° avec *contre : La voiture heurta* CONTRE *une borne* (Acad.) ; — 2° avec *à : Heurter* À *la porte, heurter* À *toutes les portes* (Acad.).

N.B. — Emploi pronominal : *se heurter :* 1° avec *à : Se heurter* À *un obstacle* (Robert). — *Ses idées se heurtèrent* À *une forte opposition* (Id.) ; — 2° avec *contre : Vagues se heurtant* CONTRE *les rochers* (Id.).

HORS, HORMIS. *a)* Dans le sens « excepté », *hors* s'emploie ordinairement sans *de* : HORS *cela, je suis de votre sentiment* (Acad.). — Mais devant un infinitif, on met souvent *de* : HORS DE *le battre, il ne pouvait le traiter plus mal* (Id.).

Quand il s'agit de corriger une expression introduite par une préposition, la répétition de celle-ci est facultative : *Pardonner à tous,* HORS (ou : HORMIS) *tel et tel,* ou bien : *Pardonner à tous,* HORS (ou : HORMIS) À *tel et tel.*

b) Dans son sens ordinaire, *hors* est le plus souvent suivi de la préposition *de : Hors* DE *danger, hors* D'*atteinte, hors* D'*ici, hors* DE *cause* (non : *hors cause*). *Il est hors* DE *lui.*

Cependant, certaines expressions figées sont construites sans *de : hors concours, hors commerce,* etc. — On dit : *hors* DE *pair* ou *hors pair.*

HUIT, QUINZE. *a)* Usage classique : DE *mardi en huit* (Acad.). — D'*aujourd'hui en quinze* (Flaubert).

b) Usage familier : sans *de : C'est mardi en quinze* (Tr. Bernard). — *Jeudi en huit* (Martinon).

ICI (D' ~). On peut dire :

a) Avec *à : D'ici* À *huit jours, d'ici* À *demain* (Dict. général).

b) Sans *à : D'ici quelques mois* (M. Prévost). — *D'ici la fin de l'année* (G. Duhamel).

N.B. — Régulièrement : « d'ici là » : *D'ici là, j'aurai arrangé votre affaire* (Acad.).

IDENTIFIER. Indifféremment : « identifier *à* » ou : « identifier *avec* » : *Identifier la patrie* AU *village où l'on est né* (Grand Larousse de la Langue fr.). — *En s'identifiant* AU *héros du roman* (J.-P. Sartre). — *Un auteur dramatique doit s'identifier* AVEC *les personnages qu'il fait agir et parler* (Acad.).

IGNORER. Archaïque : « ignorer *de* qqch. ». Tour encore assez fréquent avec la négation (surtout avec le sujet *nul* et le pronom *en*) : *Il annonça ses intentions, afin que personne n'*EN *ignorât* (Littré). — *Je voudrais que nul n'*EN *ignore* (A. Gide).

Pour le participe-adjectif *ignoré :*

a) Avec *de : L'histoire ignorée* DE *ceux qui devraient la savoir* (Littré). — *Ce grand savant vit ignoré* DU *monde* (Acad.).

b) Avec *par : Situation ignorée d'abord* PAR *Mme Sigeau, puis tolérée avec résignation* (J. Romains, cit. Robert).

IL Y A s'emploie comme locution prépositive avec un complément circonstanciel de temps dans des phrases comme : *Nos amis sont partis* IL Y A *dix minutes.* — *Je vais vous raconter un rêve que j'ai fait* IL Y A *des années* (J. Green, cit. A. Henry). — *Le Colisée, la basilique de Maxence, le Panthéon, tels qu'ils étaient encore* IL Y A *deux cents ans* (M. Butor).

IMPUTER. *a) Imputer une chose* À *qqn* ou À *qqch.* (Lexis). — *Imputer qqch.* À *crime,* À *grief, etc.* À *qqn* (= lui en faire un crime, un grief, etc.). — *Je suis sûr au moins que mon erreur ne peut m'être imputée* À *crime* (J.-J. Rousseau).

b) On lui impute D'*avoir voulu corrompre des témoins* (Acad.).

c) Au sens de « porter en compte » : *Imputer une dépense* SUR *un exercice antérieur* (Lexis).

INCONNU. *a) Trop heureux les mortels inconnus* À *leur maître !* (Voltaire.) — *Ses clairières, ses trous de verdure inconnus* AUX *oiseaux eux-mêmes* (Zola, dans le Grand Larousse de la Langue fr.).

b) La petite porte septentrionale inconnue DU *public* (A. France, *ibid.*).

INCORPORER.

a) Incorporer une substance À *une autre* (Acad.). — *Incorporer des œufs* À *une sauce* (Robert). — *Je me sentais (...) incorporé* AU *peloton de tête* (H. Troyat).

b) Incorporer une substance AVEC *une autre* (Acad.). — *Cette drogue s'incorpore facilement* AVEC *les extraits* (Littré).

c) Plusieurs des lois anciennes furent incorporées DANS *le code* (Littré). — *Incorporer quelqu'un* DANS *une société* (Robert). — *Incorporer les nouvelles levées* DANS *l'armée* (Acad.). — *On m'a incorporé* DANS *la musique au service des batteries* (M. Proust).

INDIGNER. *a) Ils s'indignèrent* DE *ce joug honteux* (Acad.). — *Je suis indigné* DE *sa conduite* (Id.). — *Il s'indigne* DE *voir que la vérité est souvent bafouée* (Id.).

b) S'indigner CONTRE *une injustice* (Acad.). — *Tous les Grecs indignés* CONTRE *vous* (Racine).

INDULGENT. *a) Il est trop indulgent* POUR *ses enfants* (Acad.). — *Mais chacun* POUR *soi-même est toujours indulgent* (Boileau).

b) Henri IV était indulgent À *ses amis* (Voltaire, dans Littré). [Vieilli.]

c) Les enfants doivent être très indulgents ENVERS *les grandes personnes* (Saint-Exupéry, dans Robert).

INFINITIF complément. *a)* Introduit sans préposition après :

accourir
affirmer
aimer autant
aimer mieux
aller
apercevoir
assurer
avoir beau
avouer
conduire
confesser
courir
croire
daigner
déclarer
descendre
devoir
écouter
entendre
estimer
faillir
faire
falloir
se figurer
s'imaginer
laisser
mener
monter
oser
penser
pouvoir
présumer
reconnaître
regarder
rentrer
retourner
revenir
savoir
sentir
supposer
voir
vouloir, etc.

Par exemple : *Je vais partir ; il daigne répondre ; je mène paître les brebis ;* etc.

b) Introduit par *à* après :

s'abaisser
aboutir
s'abuser
s'acharner
admettre
s'adonner
aguerrir
s'aguerrir
aider
s'amuser
s'animer
s'appliquer
apprendre
arriver
aspirer
assigner
assujettir
s'assujettir
astreindre
s'attacher
s'attendre
autoriser
s'avilir
avoir
se borner
chercher
se complaire
concourir
condamner
se condamner
consentir
conspirer
se consumer
contribuer
convier
destiner
se déterminer
se dévouer
disposer
donner
dresser
employer
s'employer
encourager
s'encourager
engager
s'engager
enseigner
s'entendre
s'essayer
être fondé
exceller
exciter
s'exciter
exhorter
s'exposer
se fatiguer
habiliter
habituer
s'habituer
se hasarder
inciter
induire
s'ingénier
se mettre
monter
nécessiter
s'obstiner
s'offrir
parvenir
pencher
persévérer
persister
se plaire
se plier
porter
pousser
préparer
se préparer
provoquer
réduire
renoncer
se résigner
réussir
songer
tendre
tenir (= désirer)
travailler
trouver
veiller
viser
etc.

Par exemple : *Il s'apprête* À *partir ; il parviendra* À *réussir ; j'hésite* À *me prononcer ;* etc.

c) Introduit par *de* après :

s'abstenir
accepter
accorder
accuser
s'accuser
achever
admettre
admirer
affecter
s'affliger
ajourner
ambitionner
s'applaudir
appréhender
s'arrêter
attendre
avertir
s'aviser
blâmer
brûler
cesser

se charger
choisir
commander
comploter
conjurer
conseiller
se contenter
convenir
convoiter
craindre
déconseiller
dédaigner
défendre
défier
dégoûter
délibérer
désaccoutumer
désapprendre
désespérer
déshabituer
détourner
se devoir
discontinuer
disconvenir
se disculper
dispenser
se dispenser
dissuader
écarter
empêcher
enjoindre
enrager
entreprendre
envisager
épargner
essayer
s'étonner
éviter
excuser
s'excuser
exempter

feindre
féliciter
finir
se flatter
se forcer
frémir
gager
garder
se garder
gémir
se glorifier
haïr
hasarder
se hâter
imaginer
imposer
imputer
inaugurer
incriminer
s'indigner
s'ingérer
inspirer
interdire
s'interrompre
inventer
jurer
se jurer
méditer
se mêler
menacer
mériter
négliger
obtenir
offrir
omettre
ordonner
oublier
pardonner
parier
parler
permettre

se permettre
persuader
se persuader
plaindre
préméditer
prescrire
presser
se presser
prétexter
prévoir
prier
projeter
promettre
proposer
se proposer
protester
réclamer
recommander
récompenser
redouter
refuser
regretter
se réjouir
remercier
remettre
se repentir
reprocher
se reprocher
se réserver
retenir
se retenir
rire
risquer
ruminer
rougir
savoir gré
signifier
simuler
sommer
soupçonner
suggérer

supplier	tenter	se vanter
supporter	valoir	etc.

Par exemple : *J'accepte* DE *transiger ; j'envisage* DE *bâtir ; on nous empêche* DE *parler ;* etc.

INQUIET. Selon Littré, « inquiet *de* » marque la cause de l'inquiétude : *Je suis inquiet* DE *lui ;* — « inquiet *sur* » exprime l'objet de l'inquiétude : *Je suis inquiet* SUR *son sort,* SUR *cette affaire.* — La distinction paraît artificielle et l'usage, semble-t-il, ne l'observe pas : cf. : *Il est inquiet* DE *cette affaire,* TOUCHANT *cette affaire* (Acad.).

N.B. — Avec un infinitif, on emploie *de : Elle est inquiète* DE *ne point recevoir de nouvelles* (Acad.).

INSTRUIRE. *a) Je l'instruirai moi-même* À *venger les Troyens* (Racine) [tour vieilli].

b) J'instruirai sa famille DE *la conduite qu'il tient* (Acad.). — *S'instruire* DE *sa religion* (Id.). — *Instruisez-le* D'*exemple* (Corneille).

c) Instruire DANS *un art,* DANS *la religion* (Robert). — *Ils s'instruisaient mutuellement* DANS *la vertu* (Acad.).

d) Ce livre m'a beaucoup instruit SUR *des questions qui m'étaient étrangères* (Lexis).

e) Langue juridique : *Instruire* CONTRE *qqn.*

f) Il m'instruit PAR *son exemple* (Bescherelle).

INSULTER. *a) Insulter* À *la misère de qqn* (Acad.). — *Mon fils audacieux insulte* À *ma ruine* (Racine).

b) Insultant CONTRE *le premier, qui s'opposait à son avis* (Pascal, dans Littré) [tour vieilli]. — Aujourd'hui, ordinairement sans préposition : *Il m'a insulté.*

INVECTIVER. *a)* Construction classique : « invectiver *contre* qqn ou qqch. » : *Elle se mit à invectiver* CONTRE *son Dieu* (L. Bloy). — *Invectiver* CONTRE *qqn,* CONTRE *le vice* (Acad.).

b) On dit aussi transitivement : « invectiver qqn » : *Il invectivait volontiers les royalistes du département* (A. France).

IRRITER. *a) On vous a irrité* CONTRE *moi* (Acad.).

b) S'irriter DE *qqch.,* DE *voir qqch.* (Petit Robert).

c) Irriter les esprits PAR *des mesures imprudentes* (Acad.).

JEU (AVOIR BEAU ~) + infin. *a)* Avec *pour : Vous aurez beau jeu* POUR *raconter vos exploits.*

b) Parfois avec *à* ou *de : Ils ont trop beau jeu* À *nous présager des malheurs* (A. France, cit. Sandfeld). — *Vous aurez beau jeu* DE *tenter cette expérience.*

JOINDRE. *a) Joignez cette maison* À *la vôtre* (Acad.). — *Je joins* À *cette lettre un chèque de cent francs* (Lexis).

b) Il ne faut pas joindre le silence AVEC *le long retardement* (Mme de Sévigné, dans Littré). — *L'intention de tromper, loin d'être toujours jointe* AVEC *celle de nuire, a quelquefois un but tout contraire* (J.-J. Rousseau).

JOUER. *Ils aiment beaucoup jouer* AU *billard* (A. Daudet). — *Jouer* AU *soldat,* AU *gendarme et* AU *voleur.*

N.B. — Ne pas dire, comme on fait parfois en Belgique (sans préposition) : *jouer soldat, jouer tennis,* etc.

JOUR. « *À* jour » = au courant, selon l'ordre fixé : *Mettre sa correspondance* À *jour* (Grand Larousse de la Langue fr.). — *Tenir ses comptes* À *jour* (Id.). — *Avoir ses comptes* À *jour* (Petit Robert).

« Mettre *au* jour », c'est produire à la lumière, donner naissance, ou : publier, faire connaître : *La terre fouillée pour mettre* AU *jour les ruines de Ninive* (Littré). — *À chaque ouvrage qu'il met* AU *jour, il soulève un coin du voile qui cache sa pensée* (Hugo). — *Mettre* AU *jour la perfidie de quelqu'un* (Acad.).

« *Dans* huit jours » exprime l'intervalle de temps au bout duquel l'événement dont on parle aura lieu, donc au bout de huit jours, après huit jours : *Revenez me voir* DANS *huit jours.*

« *Sous* huit jours » a un sens voisin de « dans huit jours », mais marque plus précisément un délai à l'intérieur duquel une chose aura lieu : *Je vous enverrai mon devis* SOUS *huit jours.* — *Un bataillon, un escadron partiront* SOUS *huit jours* (Michelet). [Vieilli.]

« *En* huit jours » exprime le temps qu'il faut pour l'exécution d'une action : *Je ferai cela* EN *huit jours.*

Travailler DE *jour.* — *Cet officier est* DE *jour.* — *Manger des œufs* DU *jour.* — *C'est la vedette* DU *jour.* — *Médicament à prendre deux fois* PAR *jour, deux fois le jour.* — *Vivre* AU *jour le jour.* — *Cela ne se fait plus* DE *nos jours.* — *Il faut mettre ce tableau* DANS *son jour* (Littré). — *Son secret est percé* À *jour* (Id.). — *Je puis* DANS *tout son jour mettre la vérité* (Racine). — *Il y a vingt ans jour* POUR *jour que cet événement est arrivé* (Acad.). — *Je l'attends* DE *jour* EN *jour* (Id.).

JOURNAL. On dit : « lire qqch. *dans* le journal » : *Il se rappelle avoir lu* DANS *un journal...* (A. France). — *On parlait de lui* DANS *le journal* (Fr. Mauriac).

N.B. — « *Sur* le journal » peut se justifier, selon Littré, si l'on a le journal étendu devant soi. En fait cette construction reste assez vulgaire.

JUGER. *a)* Transitif direct : « juger qqn ou qqch. » : *Juger une personne, juger les vivants et les morts, juger le procès de qqn.*

b) Transitif indirect : « juger *de* » : *Juger* DE *la pièce par l'échantillon* (Acad.). — *Je ne pouvais pas bien juger* DE *la distance* (Id.).

c) « Juger *par* » [= conjecturer] : *Si j'en juge* PAR *ce premier essai, nous réussirons* (Acad.).

JUSQUE. *a)* Avec diverses prépositions : *dans, en, sur, vers, sous, après, chez...*, mais le plus souvent avec *à* : *Jusque* DANS *un désert.* — *Jusqu'*EN *Chine.* — *Jusque* SUR *les toits.* — *Jusque* VERS *minuit.* — *Jusque* SOUS *le feu de l'ennemi.* — *Jusqu'*APRÈS *sa mort.* — *Jusqu'*À *Paris. Jusqu'*À *midi. Jusqu'*À *maintenant. Jusqu'*À *près de minuit. Jusqu'*À *quand. Jusqu'*À *hier. Jusqu'*À *demain.*

b) Sans préposition : avec *ici, là, où, alors* — et avec certains adverbes d'intensité modifiant un adverbe de temps ou de lieu : *Jusqu'ici, jusque-là, jusqu'où, jusqu'alors, jusque très tard, jusque fort loin.*

N.B. — 1. JUSQU'À *aujourd'hui* ou : JUSQU'*aujourd'hui* : *J'ai différé jusqu'aujourd'hui* ou *jusqu'*À *aujourd'hui à vous donner de mes nouvelles* (Acad.). — *Depuis les origines de la vie jusqu'aujourd'hui, la terre est vouée au meurtre* (A. France). — *Pourquoi diable avoir attendu jusqu'*À *aujourd'hui ?* (M. Aymé.)

2. À ne pas imiter : *Jusque Halle* (P. Gaxotte). — *Germain travailla jusque neuf heures et demie* (M. Van der Meersch).

JUSTE (COMME DE ~). Locution rebutée par les puristes (qui n'admettent que « comme il est juste »), mais admise par le meilleur usage : *Ce Japonais était habillé,* COMME DE JUSTE, *à l'européenne* (A. Hermant). — *Maman ne répondit pas,* COMME DE JUSTE (Colette). — *Le marquis,* COMME DE JUSTE, *avait été fêté* (Montherlant).

N.B. — La langue très familière dit, dans le même sens : « comme de bien entendu » : *Je me suis immédiatement rendu à sa chambre, qu'il venait de quitter,* COMME DE BIEN ENTENDU, *pour se rendre Dieu sait où* (G. Courteline).

LAISSER (NE PAS ~) + infin. S'emploie avec *de : Il ne faut pas laisser* D'*aller votre chemin* (Acad.). — *La naissance de l'enfant ne laissait pas* DE *me préoccuper* (G. Duhamel).

On dit aussi « ne pas laisser *que de* » + infin. : *Je ne laissais pourtant pas* QUE D'*être embarrassé* (A. Gide). — *Une panique honteuse qui ne peut pas laisser* QUE DE *l'humilier ensuite au plus vif* (Montherlant).

LASSER (SE ~) + infin. Distinguer :

a) Avec *à* [quand il y a idée de dégoût, d'effort pénible] : *L'autre en vain se lassant* À *polir une rime* (Boileau). — *On se lasse plus* À *rester debout qu'*À *marcher* (Acad.).

b) Avec *de* [quand l'idée est : « renoncer à »] : *Auguste s'est lassé* D'*être si rigoureux* (Corneille).

LIBRE. *a)* Suivi d'un nom : = exempt ou affranchi de : *Libre* D'*ambition*, DE *soins et* D'*esclavage* (Voltaire).

b) Suivi d'un infinitif : = qui a la liberté de : *Vous êtes libre* D'*accepter ou* DE *refuser* (Acad.).

c) « Libre *pour* » + infin. : sert à marquer le but : *Sortons un moment sur la route, nous serons plus libres* POUR *causer* (A. Daudet, cit. Sandfeld).

LOUER [= féliciter, faire l'éloge]. On dit : *a)* « Louer qqn *de* » : *Je vous loue infiniment* DE *votre choix* (Petit Robert). — *Je vous loue* D'*avoir ainsi agi* (Littré).

b) « Louer qqn *pour* » : *On le loue* POUR *avoir fait cette démarche* (Acad.). — *Nous avons loué cet enfant de son application* OU POUR *son application* (Grand Larousse de la Langue franç.).

c) « Se louer *de* » : *J'ai sujet de me louer* DE *lui* (Acad.). — *J'ai fort à me louer* DU *remède que vous m'avez indiqué* (Id.).

MANQUER. *a)* « Manquer *de* qqch. », c'est ne pas avoir qqch. en quantité suffisante, en être dépourvu : *Manquer* DE *vivres,* ~ DE *mémoire,* ~ D'*esprit.*

b) « Manquer *de* » + infin. = courir le risque de : *J'ai manqué* DE *tomber.* — *Il a manqué* D'*être tué* (Acad.). — *La toute jeune France manque* DE *périr dans les mains de Philippe Ier* (M. Druon).

Même sens, sans *de : Il a manqué mourir* (Acad.). — *Elle manqua tomber, en glissant sur le trottoir* (J. Giraudoux).

c) « Manquer *de* » + infin. peut signifier aussi « négliger, oublier de » : *J'ai manqué* DE *faire maigre deux fois* (J. Romains, dans Robert).

« Ne pas manquer *de* » + infin. = ne pas omettre de : *Je ne manquerai pas* DE *faire ce que vous voulez* (Acad.).

d) « Manquer *à* qqn », c'est négliger les égards qui lui sont dus : *En répondant comme il l'a fait, cet employé a manqué gravement* À *son chef.* — « Manquer *à* qqch. », c'est ne pas s'y conformer : *Manquer* À *son devoir,* À *sa parole.*

e) « Manquer *à* » + infin., c'est ne pas faire, ne pas réussir à faire : *On mésestime celui qui manque* À *remplir ses devoirs* (Littré). — *Manquer* À *exécuter qqch.* (Acad.).

MARCHÉ (= zone où les personnes sont en relations commerciales, état de l'offre et de la demande) : *Formation, état des prix* SUR *un marché* (Petit Robert). — *Jeter des valeurs* SUR *le marché* (Acad.).

MARCHÉ (BON ~). On peut dire :

a) Avec *à :* « Acheter, vendre, donner, etc. *à* bon marché » : *Maman m'avait acheté* À *bon marché un petit syllabaire* (Ch. Péguy). — *Avec leurs articles* À *bon marché* (A. Chamson).

b) Sans *à :* « Acheter, vendre, donner, etc. bon marché » : *Il acheta le cheval bon marché* (Voltaire). — *Des livres bon marché* (Fr. Mauriac).

MARIER, FIANCER. Indifféremment : « fiancer, marier *à* » ou « fiancer, marier *avec* » : *a) Se fiancer* À *ma petite Lise* (Voltaire). — *Fiancé* AVEC *une jeune fille charmante* (E. Jaloux).

b) Son père l'a marié À *la fille,* AVEC *la fille d'un de ses amis* (Acad.).

MATIN, SOIR, après *demain, hier, le lendemain* et les noms des jours de la semaine.

a) Dans le style soutenu : avec *au : Hier* AU *matin* (Acad.). — *Demain* AU *soir* (Laclos).

b) Dans l'usage ordinaire : pas de préposition : *Hier matin* (Acad.). — *Le lendemain matin* (H. Bordeaux). — *Nous devons nous revoir demain soir* (A. Gide).

N.B. — Après *la veille, l'avant-veille, le 15,* etc., *ce jour-là, tous les jours, chaque jour,* il faut : « *au* matin, *au* soir ».

MÉDIRE. *a) Médire* DE *son prochain* (Acad.).

b) Ceux de qui la conduite offre le plus à rire / Sont toujours SUR *autrui les premiers à médire* (Molière, dans Littré). — *Il n'y a personne* SUR *qui on ne médise* (Bescherelle). [Vieilli.]

MÉLANGER, MÊLER, SE MÊLER. *a) Mélanger une chose* À *une autre* (Petit Robert). — *La Marne mêle ses eaux* À *celles de la Seine* (Lexis). — *Mêler qqn* À *une affaire* (Id.). — *Mêler ses larmes* À *celles de qqn* (Acad.). — *Se mêler* À *la foule* (Id.).

b) Mélanger une chose AVEC *une autre* (Petit Robert). — *Mêler l'eau* AVEC *le vin* (Acad.).

c) Lettres mêlées DE *vers et* DE *prose* (Acad.). — *Je ne me mêlerai plus* DE *vos affaires* (Id.). — *Plaisir mêlé* DE *douleur* (Robert). — *Se mêler* DE *tout.*

d) Mêler du cuivre DANS *de l'argent* (Acad.). — *Je vous prie de ne point me mêler* DANS *vos discours* (Bescherelle). — *Se mêler* DANS *la foule* (Id.).

e) Mêler de faux louis, de fausses pièces PARMI *d'autres* (Robert).

MÉPRENDRE (SE ~). Indifféremment : *a)* « Se méprendre *à* » : *Je ne me méprends pas* À *vos semblants d'amour* (Hugo).

b) « Se méprendre *sur* » : *On ne saurait se méprendre* SUR *la gravité de cet événement* (Acad.).

MERCI, REMERCIER, REMERCIEMENT. *a)* « Merci *de*, remercier *de*, remerciement *de* », avec un nom ou un infinitif : *Merci* DE *votre obligeance* (Acad.). — *Merci* DE *m'avoir répondu si aimablement* (Id.). — *Je vous remercie* DE *vos bonnes intentions* (Stendhal). — *Mille remerciements* DE *toutes vos bontés* (L. Veuillot).

b) « Merci *pour*, remercier *pour*, remerciement *pour* qqch. » : *Merci* POUR *les fleurs* (M. Arland). — *Dingley remercia le jeune homme* POUR *son hospitalité* (J. et J. Tharaud). — *Je vous fais mes remerciements* POUR *ce que vous nous avez accordé* (Acad.).

METTRE. Dans les phrases du type « mettre du linge *(à)* sécher », la préposition *à* est facultative :

a) La « chemise rouge » qu'on avait mise sécher (Chateaubriand). — *Mettre des poules couver* (Acad.).

b) Fréquent : avec *à* : *Je mis le plat* À *mijoter* (H. Bosco). — *La récolte achevée est mise* À *sécher au soleil* (É. Henriot).

N.B. — *Mettre* se construit avec diverses prépositions : *Mettre du bois* DANS *le feu ; mettre une chose* À *sa place ; mettre qqn* À *mort ; mettre un homme* EN *prison ; mettre un bibelot* SUR *la cheminée ; mettre la clé* SOUS *le paillasson ; se mettre mal* AVEC *qqn ; mettre un mot* ENTRE *parenthèses ; mettre une échelle* CONTRE *le mur* ; etc. — Voir PLACE.

MIDI. Au choix : *hier* À *midi* ou *hier midi ; demain* À *midi* ou *demain midi.*

MOINS (EN ~, DE ~). Les deux locutions expriment l'idée de manque, d'insuffisance, de restriction : *Il y a dans ce sac dix francs* DE *moins* (Littré). — *On ferait bien de compter pour la dépense cent francs* DE *moins,* EN *moins.* — *Vous comptez cela* EN *moins* (Littré). — *Elle a six ans* DE *moins que son frère* (Acad.).

MOTIF avec infinitif. « Des motifs *pour* » ou « des motifs *de* » : *Je n'aurais point eu de motif* POUR *refuser* (B. Constant). — *Il m'a donné des motifs* DE *le haïr* (Robert).

NIER + infin. *a)* Tour ordinaire : avec *de : Elle a d'abord nié* D'*être en commerce avec les rebelles* (A. Chamson).

b) Assez souvent, sans préposition : *Il nia depuis avoir frappé la bête aux naseaux* (G. Bernanos).

NOUVEAU. *a) « À* nouveau » = de façon complètement différente : *Le travail est manqué, il faut le refaire* À *nouveau* (Acad.).

b) « De nouveau » = une fois de plus : *On l'a emprisonné* DE *nouveau.*

N.B. — Cette distinction est souvent négligée par d'excellents auteurs, qui emploient *à nouveau* au sens de « une fois de plus » : *Il pleuvait* À *nouveau* (Aragon).

OBLIGER + infin. Au choix :

a) Avec *à : Lorsque la pluie l'obligeait* À *rester à la maison* (J. Green). — *La crainte l'obligea* À *se taire* (Acad.).

b) Avec *de : La soif les obligea* DE *descendre en un puits* (La Fontaine). — *La faim l'obligea* DE *sortir* (M. Barrès). — *Ferdinand l'obligea* DE *rester* (Ph. Hériat).

OCCUPER (S' ~) + infin. *a)* Avec *à* [idée de travailler à] : *Tout le jour il s'occupe* À *lire* (Acad.).

b) Avec *de* [activité très attentive, préoccupante] : *Il s'occupe* DE *détruire les abus* (Acad.). — *Je vis l'équipe de terrassiers occupés* DE *me déterrer* (M. Déon).

N.B. — Dans l'usage, la distinction n'est pas toujours observée.

ORDINAIRE. *a) « D'*ordinaire », « *pour* l'ordinaire » [= le plus souvent, habituellement] : *On se repent* D'*ordinaire d'avoir trop parlé* (Acad.). — *L'amour,* POUR *l'ordinaire, est peu fait à ces lois* (Molière).

b) « À l'ordinaire » [= à l'accoutumée] : *Le pasteur était à côté / Et récitait* À *l'ordinaire / Maintes dévotes oraisons* (La Fontaine). — *Je vous parle franchement,* À *mon ordinaire* (Acad.).

N.B. — Robert note que « *selon* l'ordinaire » et « *contre* l'ordinaire » paraissent vieux.

OUTRE. *a)* Emploi classique : OUTRE *ce domaine, il possède plusieurs maisons* (Dictionn. général).

b) « En outre *de »,* rebuté par les puristes, est reçu par le bon usage : EN OUTRE DE *mes vieilles dettes* (Chateaubriand). — EN OUTRE DU *musicien* (M. Barrès).

PALLIER. Sans préposition : « pallier qqch. » : *Il essaie de pallier sa faute* (Acad.).

N.B. — Ne pas dire : « pallier *à* qqch. ».

PAR ou **DE** après un passif [« homme aimé *par* tous, *de* tous »]. Voir **COMPLÉMENT D'AGENT.**

PAR, dans l'emploi distributif : *a) Une fois* PAR *an* (Acad.). — *Deux fois* PAR *semaine* (Id.). — *Il gagne tant* PAR *jour.* — *Payer tant* PAR *tête.* — *Le son parcourt trois cent trente-sept mètres* PAR *seconde* (Acad.). — *Une vitesse de cent kilomètres* PAR *heure.* [Le plus souvent : ... *de cent kilomètres* À *l'heure ;* ou encore : ... *à près de cent kilomètres-heure* (G. Duhamel).]

Pour : *dix sous* DE *l'heure*, voir **HEURE.**

b) Sans *par : Il faudra que tu donnes un dîner une fois la semaine* (Flaubert). — *Une fois la semaine, un homme descendait à Morges* (B. Clavel).

PAR APRÈS. Voir **APRÈS.**

PARADIS. On dit : « *en* paradis » ou parfois « *au* paradis » : *Vous ne l'emporterez pas* EN *paradis* (Acad.). — *Ils n'iront pas* AU *paradis* (G. Duhamel). — *Nous irons* AU *paradis* (M. Gallo).

N.B. — 1. « *En* enfer », « *en* purgatoire » ou parfois « *au* purgatoire ».

2. On peut dire, avec la nuance « à l'intérieur de » : « *dans* le paradis, *dans* l'enfer, *dans* le purgatoire, *dans* le ciel ».

Avec le pluriel « enfers », on a : « *dans* les enfers » ou parfois « *aux* enfers ».

PARDONNER. Normalement : « pardonner *à* qqn » (Acad.). — *Pardonnez* À *ma franchise,* À *mon amitié les reproches que je vous fais* (Id.) [la franchise, l'amitié sont considérées comme si on les personnifiait].

N.B. — 1. *Pardonner* avec un objet direct désignant une chose est tout à fait normal : *Pardonnez ma franchise.* — *Pardonnez mes craintes, mes soupçons, mon oubli* (Acad.).

D'excellents auteurs ont employé « pardonner qqn » : *Pardonnez un amant* (J. Bainville). [L'Académie ignore cette construction, qui est un archaïsme.]

À *pardonner qqn* répond normalement au passif : *Vous êtes tout pardonné* (Acad.). — *Il vit qu'il était pardonné* (A. Maurois).

2. « Je vous demande pardon », elliptiquement « pardon » : formules de civilité, qui se construisent avec *de* ou avec *pour* quand on veut expri-

mer l'objet de l'excuse : *Je vous demande pardon* DE *la grande liberté que j'ai prise,* POUR *la grande liberté que j'ai prise. — Je vous demande pardon* DE *venir vous voir ce matin* (Acad.). — *Pardon* DE *mon silence* (G. Sand). — *Pardon* DE *vous déranger. — Ici point de pardon* POUR *les erreurs* (Saint-Exupéry). — *Elle nous a demandé pardon* POUR *sa colère d'hier* (Grand Larousse de la Langue franç.).

PARENTHÈSE. Au choix : *a) « Par* parenthèse » : PAR *parenthèse, j'ajouterai telle chose* (Acad.).

b) « Entre parenthèses » : ENTRE *parenthèses, je tiens à signaler que...* (Acad.). — *Curieux personnage,* ENTRE *parenthèses, que ce Bonnet* (J. Mistler).

PARER. *a)* Transitif direct [= éviter, détourner] : *Parer un coup* (Acad.).

b) « Parer *à »* [= trouver remède] : *Il faut parer* À *cet inconvénient* (Acad.). — *Parer* AU *plus pressé* (Id.).

PARIER. On dit : « parier *avec* qqn », « parier *contre* qqn » : *Tenir le pari, l'accepter, parier* CONTRE *la personne qui le propose* (Acad.). — *Il a parié mille francs* AVEC *un ami que l'accusé serait gracié* (Robert).

Il paria D'*apprendre par cœur dans la journée tout l'indicateur du P.L.M.* (J. Mistler).

PARLER. On peut dire : *a) Parler* AVEC *qqn* (Acad.) et : *Parler* À *qqn* (Id.).

b) « Parler *pour* qqn », c'est intercéder pour lui, parler en sa faveur.

c) Parler DE *la pluie et* DU *beau temps. — On parle beaucoup* DE *lui. — Il parle* DE *bâtir un château. — Parler* SUR *un sujet* (Bescherelle). — *Tout parle* CONTRE *lui. — La vérité parle* PAR *la bouche des enfants. — Il sait parler* EN *maître.*

PARMI. Ordinairement avec un pluriel : *J'ai trouvé un papier* PARMI *mes livres* (Acad.).

N.B. — Peut s'employer avec un singulier collectif ou impliquant l'idée d'une certaine étendue : PARMI *la foule* (Acad.). — *L'ivraie est mêlée* PARMI *le bon grain* (Id.).

PARTICIPER. *a)* « Participer *à* qqch. », c'est y avoir part, y prendre part : *Participer* À *la joie d'un ami.* — *On l'accusa d'avoir participé* À *la conjuration* (Acad.). — *Il assiste à la libération de Paris* À *laquelle il participe allégrement* (É. Henriot).

b) « Participer *de* qqch. », c'est tenir de la nature de qqch. : *Le pathétique participe* DU *sublime autant que le sublime participe* DU *beau et* DE *l'agréable* (Boileau).

PARTIR. Suivi d'un nom marquant le but ou le terme du mouvement, se construit ordinairement avec *pour*, parfois avec *vers : Nous partirons demain* POUR *Marseille* (Montesquieu). — *Shelley partit* POUR *Londres* (A. Maurois). — *Je partis tout seul* VERS *les collines enchantées* (M. Pagnol).

N.B. — 1. Les tours *partir à, partir en, partir sur, partir dans, partir chez* pénètrent de plus en plus dans l'usage : *Partir* AU *front* (R. Dorgelès). — *Ampère partant* EN *Grèce* (A. Camus). — *Comme les pêcheurs qui partent* SUR *la mer* (J. Cayrol). — *Nous partions* DANS *le Midi* (L. Daudet). — *Il partait* CHEZ *les ombres* (J. Cocteau).

2. *Partir à* + infin. = se mettre soudain à : *Là-dessus tout le monde partit* À *rire* (G. Duhamel).

3. On peut dire : « partir *en* voyage, *en* vacances », etc. : *Je pars* EN *voyage* (A. Gide).

PASSIF + *de* ou *par* [« homme aimé *de* tous, *par* tous »]. Voir **COMPLÉMENT D'AGENT.**

PAUVRE. Voyez **RICHE.**

PEINE. *a)* Tour ordinaire : « *sous* peine de » : *Cela est défendu* SOUS *peine d'une amende,* SOUS *peine d'amende* (Acad.).

b) Parfois : « *à* peine de » : *Ensuite,* À *peine de tâtonner, il faut des leçons assidues d'un habile professeur* (G. Duhamel).

PERCUTER [proprement = frapper].

a) Transitif direct : *Mobile qui percute un autre corps* (Robert). — *Voiture qui percute un arbre* [familier, selon Robert]. — *Le motocycliste a percuté un camion à l'arrêt* (Grand Larousse de la Langue franç.).

b) Intransitif, avec *contre : Obus qui vient percuter* CONTRE *le sol,* CONTRE *un mur* (Robert). — *L'avion percuta* CONTRE *le sol* (Id.). — *La voiture percuta* CONTRE *un camion à l'arrêt* (Id.).

PERFECTION. Trois tours possibles : « travailler *à* la perfection, *dans* la perfection, *en* perfection » (les deux derniers tours sont surtout littéraires) :

a) Il mène son jeu À *la perfection* (M. Arland). — *Elle danse* À *la perfection* (Acad.). — *Tout avait fonctionné* À *la perfection* (N. Sarraute).

b) Elle les écrivait [ses lettres] DANS *la perfection* (Renan). — *Elle me parla* DANS *la perfection de la France* (P. Morand).

c) M. de Grignan écrit EN *perfection* (Mme de Sévigné). — *Il avait préparé sa petite comédie tout seul, et il la joua* EN *perfection* (La Varende). — *Il joue de la flûte* EN *perfection* (Acad.).

PERMETTRE. *Permettre le vin* À *un malade.* — *Mes moyens ne me permettent pas* DE *faire ce long voyage.* — *Permettre* À *chacun* DE *donner son avis.*

PERSUADER. Deux constructions possibles :

a) « Persuader qqch. *à* qqn » : *Persuader une vérité* À *qqn* (Acad.). — *On ne persuade* AUX *hommes que ce qu'ils veulent* (Joubert). — *Il n'a qu'à* LEUR *persuader qu'un écu en vaut deux, et ils le croient* (Montesquieu).

b) « Persuader qqn *de* qqch. » : *Je l'ai persuadé* DE *la nécessité de faire cette chose* (Acad.). — *Tâche de persuader ton frère* DE *se joindre à nous* (Lexis). — Plus rarement : « persuader *à* qqn de faire qqch. » : *On* LUI *a persuadé de se marier* (Acad. : construction vieillie).

PEUR. On dit généralement :« *de* peur *de* » : *Il ne sort jamais la nuit,* DE PEUR DES *voleurs,* DE PEUR D'*être attaqué* (Acad.). — Mais on emploie parfois, dans le même sens, « peur *de* » : *J'empêche,* PEUR DU *chat, que mon moineau ne sorte* (Molière). — *Il n'ose pas regarder Noëlle,* PEUR DE *ne pas deviner en elle la même colère qui tressaille en lui* (Fr. Nourissier).

PIED. On dit : « aller, venir, etc., *à* pied » : *Il regagnait* À *pied le ministère* (É. Estaunié).

N.B. — Populaire ou régional : « *de* pied ».

PLACE. On dit : « mettre, remettre qqch. *en* place, *à* sa place, *en* sa place » [= dans l'état, le lieu où cela se trouvait] : *Elle remit tout* EN *place* (J.-L. Vaudoyer). — *Ranger chaque chose* À *sa place,* EN *sa place* (Littré).

N.B. — 1. Ne pas dire : « mettre, remettre qqch. *à* place ».
2. « Remettre qqn *à* sa place » = le rappeler aux convenances.
3. Voir RUE.

PLAISIR. Avec *prendre plaisir, avoir plaisir, avoir du plaisir, il y a plaisir,* le complément s'introduit par *à* ou aussi (archaïque) par *de : Un clystère que j'avais pris plaisir* À *composer moi-même !* (Molière.) — *Il y a plaisir (...)* À *travailler pour des personnes qui soient capables de sentir les délicatesses d'un art* (Id., dans Littré).

— *Il y a plaisir* DE *s'entendre louer* (Bescherelle). — *Comme s'il eût pris plaisir* À *ma naïveté* (Pascal, dans Littré).

PLAN. *a)* « *Sur* le plan de » [= au point de vue de] : *Berrion avait pleinement raison* SUR *le plan des faits* (R. Ikor). — SUR *le plan des idées, ils sont indulgents* (M. Aymé).

b) Même sens : « *au* plan de » [construction récente, critiquée] : *La biologie n'est pas seulement,* AU *plan de la science pure, l'étude du progrès de la vie* (P.-H. Simon).

PLUS (EN ~ DE). Locution non signalée par l'Académie ; elle est correcte : EN PLUS DE *Paul* (A. Gide). — EN PLUS DE *son travail au ministère* (Daniel-Rops).

N.B. — 1. « *En* plus » + adjectif [idée de comparaison, de supériorité] : *Cette pièce ressemble,* EN *plus luxueux et* EN *plus triste, à ma chambre* (Sartre, dans le Petit Robert).

2. « *En* plus, *de* plus », employés absolument, au sens de « en outre, aussi » : *Des sommes* EN *plus* (Littré). — *Mardochée est coupable ; et que faut-il* DE *plus ?* (Racine, dans Littré.) — *Il me faudrait cent francs* DE *plus,* EN *plus.* — *Il est aimable et* DE *plus généreux, et* EN *plus généreux* (Acad.).

POINT. Au choix : « *de* tout point, *en* tout point » : *C'est un homme accompli* DE *tout point* (Acad.). — *Cet ouvrage est mauvais* DE *tout point,* EN *tout point* (Id).

POINT DE VUE. *a)* Ordinairement : « *à* un point de vue » : *Se mettre* À *un point de vue* (Acad.).

b) On dit aussi : « *d'*un point de vue » : *Tout regarder* DU *point de vue moral* (H. Bremond).

c) Ou encore : « *sous* le point de vue » : *Revoir,* SOUS *le point de vue du style, un ouvrage* (Flaubert).

N.B. — 1. Usage classique : « *dans* un point de vue » : *Les chrétiens ne le regardent pas* [le mariage] DANS *ce point de vue* (Montesquieu). — *Ce tableau n'est pas* DANS *son point de vue* (Bescherelle).

2. Suivi d'un nom complément : *Au point de vue* DE *la géographie* (A. France). — *Du point de vue* DE *l'idée* (A. Camus). — Assez fréquemment, sans *de : Du point de vue métier* (H. Bremond). — *Au point de vue classe* (M. Brion). [Usage condamné par l'Acad. : mise en garde du 21 oct. 1965.]

POT. L'Académe distingue : *a) Pot,* suivi de *à,* exprime la destination du vase : *Pot* À *(l')eau, pot* AU *lait, pot* À *beurre, pot* À *fleurs,* etc. = pot à mettre de l'eau, du lait, du beurre, des fleurs, etc.

b) Pot, avec *de,* exprime l'usage actuel du vase : *Pot* D'*eau, pot* DE *lait, pot* DE *beurre, pot* DE *fleurs,* etc. = pot rempli d'eau, de lait, pot où il y a du beurre, des fleurs, etc.

N.B. — De même : *Verre* À *vin/verre* DE *vin ; — verre* À *bière/verre* DE *bière ; — panier* À *raisin/panier* DE *raisin ; —coffret* À *bijoux/coffret* DE *bijoux ; — casier* À *bouteilles/casier* DE *bouteilles ;* etc.

POUR. On dit : *a)* selon l'usage classique et littéraire : « tout de bon » [= sérieusement, réellement] : *Jusqu'ici, il ne faisait que plaisanter, mais pour cette fois il a menacé tout de bon* (Acad.). — *Il va périr tout de bon* (Montherlant).

b) Selon l'usage ordinaire (même sens) : « *pour* de bon », « *pour* tout de bon » : *Demain ce sera le soleil* POUR *de bon* (Claudel). — *Relevez-vous cette fois* POUR *tout de bon* (G. Bernanos).

N.B. — 1. Usage populaire ou familier : *pour de vrai, pour de rire.*

2. « Qu'est-ce là *pour* une fleur ? » « Qu'est-ce que c'est *pour* un homme ? » etc. : germanisme. Il faut dire : *Quelle fleur est-ce là ? Quel genre d'homme est-ce ? Qui est cet homme-là ?*

3. En théorie, « le train *pour* Paris », c'est le train qui va à Paris, — et « le train *de* Paris », c'est le train qui vient de Paris. Mais, pratiquement, c'est, semble-t-il, la construction avec *de* qui s'emploie le plus souvent dans les deux cas.

PRÉFÉRER + infin. *a)* Construction ordinaire : sans préposition : *Il préfère se retirer* (Acad.). — *Elle a préféré mourir que de vivre ainsi* (Fr. Mauriac).

b) Vieilli et littéraire : avec *de : J'ai préféré* DE *payer des dettes* (Mme de Sévigné). — *D'autres préfèrent* DE *rester debout* (J. Rostand). — *Vous préférez* DE *me laisser seul, malade et désolé ?* (M. Proust.)

PRÉJUGER. *a)* Normalement : « préjuger qqch. » : *Sans préjuger le fond* (Littré). — *Je ne veux point préjuger la question* (Acad.).

b) Assez souvent : « préjuger *de* qqch. » : *Pour préjuger* DE *mon acquiescement* (M. Barrès).

PRENDRE (SE ~). *a) «* Se prendre *à »* [= s'accrocher à, ou : se mettre à] : *Un homme qui se noie se prend* À *tout ce qu'il peut* (Acad.). — *Elle se prit* À *pleurer* (Id.).

b) « Se prendre *à* qqn » [= le provoquer] : *Il ne faut pas se prendre* À *plus fort que soi* (Acad.).

c) « S'en prendre *à* qqn » [= s'attaquer à lui, le rendre responsable] : *Je m'en prendrai* À *vous de tout ce qui pourra arriver* (Acad.).

d) « Se prendre *de »* [= se mettre à avoir] : *Se prendre* D'*amitié pour qqn* (Acad.).

e) « Se prendre *pour »* [= croire qu'on est...] : *Il se prend* POUR *un génie.*

PRENDRE GARDE + infin.

a) Avec *à* [= avoir soin de] : *Prenez garde* À *ne pas trop vous engager* (Acad.). — *Prenez garde* À *éviter les cahots* (M. Druon).

b) Avec *de* + infin. négatif [= avoir soin de] : *J'étais anxieuse (...). Je prenais garde* DE *ne pas le montrer* (A. Maurois).

c) Avec *de* + infin. sans négation [= s'efforcer d'éviter, craindre de] : *Prenez garde* DE *tomber* (Acad.).

PRÉPOSITIONS prises adverbialement.

Dans l'usage familier surtout, les prépositions *après, avant, avec, autour, contre, depuis, derrière, devant, entre, hors, outre, parmi, pour, proche, sans, selon, vers,* etc. s'emploient couramment comme adverbes : *Ils avaient moins de patience qu'*AVANT (P. Guth). — *Quand je l'enlève* [un chapeau], *la perruque vient* AVEC (É. Henriot). — *Les grandes aventures, tu sais bien que tu n'es pas fait* POUR (Simone de Beauvoir). — *Ce ruisselet qui traversait la grotte était un don du ciel. Nous jouions beaucoup* AVEC (J.-P. Chabrol). — *C'est l'analogue de l'amour, une aspiration* VERS (M. Barrès). — Voir **AVEC.**

PRÈS. Incorrect : « Ce n'est pas *à la près de* ça, *à la près de* dix francs, etc. » [pour : « Je n'en suis pas à ça près, à dix francs près »].

PRÈS, PROCHE + indication de lieu :

a) Ordinairement avec *de : Être logé près* DE *l'église* (Acad.). — *Cette maison est proche* DE *l'église* (Id.).

b) Parfois sans *de*, et en particulier dans certaines locutions : *Près la forteresse* (Stendhal). — *Près l'escalier du potager* (A. Gide). — *Ambassadeur de France près le Saint-Siège* (Acad.). — *Proche la paroisse de Saint-Nicolas* (Sainte-Beuve). — *Proche la ville* (Acad.).

PRÈS DE, PRÊT À + infin.

a) « Près *de* » = sur le point de : *Je la vis près* D'*expirer* (Musset).

b) « Prêt *à* » = disposé à, préparé à : *Il est toujours prêt* À *partir* (La Fontaine).

N.B. — La langue classique employait souvent *prêt à* ou *prêt de* pour *près de.* Certains auteurs modernes suivent encore cet exemple.

PRÉTENDRE. *a)* Au sens de « vouloir fortement » [suivi d'un infinitif] : sans préposition : *C'est à Rome, mon fils, que je prétends marcher* (Racine). — *Je prétends faire ce voyage, rien ne m'en empêchera* (Acad.).

b) Au sens de « aspirer à » : avec *à : Il prétendait* À *épouser madame Jourd'heuil* (A. Hermant). — *D'humbles gens comme les Plassac qui ne prétendaient* À *rien* (Fr. Mauriac). — *Mystificateur, le marxisme le devient quand, tout en se dérobant aux exigences de la science, il prétend* À *un statut scientifique* (V. Giscard d'Estaing).

PRÉTEXTE. *a)* Suivi d'un nom ou d'un pronom : avec *à : Il n'y a aucun prétexte* À *cela* (Acad.).

b) Suivi d'un infinitif : avec *pour* ou avec *à : Cela lui a servi de prétexte* POUR *s'en aller* (Acad.). — *Il ne cherche qu'un prétexte* À *se plaindre* (Id.). — *Ce petit voyage à Valnancé lui fournissait un prétexte* À *ne rien faire* (H. de Régnier, cit. Sandfeld).

PRÉVOIR + indication de date : *Le mariage était prévu* POUR *février* (A. Maurois).

PRIER. *a)* Sens religieux : *Il passe ses nuits à prier Dieu* (Acad.). — *Prier* POUR *les morts* (Id.). — *Elle pria* POUR *vivre longtemps* (A. France, cit. Sandfeld).

b) Terme de politesse : *Prier qqn* DE *qqch.* (Acad.). — *On l'a prié* À *dîner* (Id.). — *C'est un homme que je vous prie* DE *protéger* (Id.).

PROPORTION. *a)* Adverbialement : « *à* proportion, *en* proportion, *par* proportion » [= proportionnellement] : *Il n'est pas aussi bien payé que l'autre* À *proportion,* EN *proportion,* PAR *proportion* (Acad.).

b) « *En* proportion *avec* », ou : « *en* proportion *de* » : *Son succès n'est pas* EN *proportion* AVEC *son mérite* (Acad.). — *Il sera récompensé* EN *proportion* DE *ses services* (Id.).

c) « À proportion *de » : Il ne dépense pas* À *proportion* DE *son revenu* (Acad.).

PROPRE. « Être propre *sur* soi » : *La santé demande qu'on soit propre* SUR *soi* (Littré).

PUNIR. *a)* Avec un complément désignant l'espèce de punition : « punir *de » : On l'a puni* DE *mort* (Acad.).

b) Avec un complément désignant la faute commise : « punir *pour »* ou « punir *de » : Punir un enfant* POUR *une faute légère* (Acad.). — *On l'a puni* DE *ses malversations* (Id.).

QUALIFIER. *a)* Suivi d'un attribut : ordinairement avec *de : L'ouvrage fut qualifié* D'*hérétique* (Acad.). — *Si le chirurgien doit être qualifié* D'*artiste* (P. Valéry, cit. Petit Robert). — *Qualifier qqn* DE *fourbe* (Littré). — *On le qualifie* DE *duc,* DE *baron* (Id.).

Parfois sans *de : L'arrêt le qualifie duc, prince,* etc. (Littré). — *Il se qualifie docteur* (Acad.).

b) Avec *pour* + infin., au sens de « être capable de, avoir qualité pour » : *Vous êtes parfaitement qualifié* POUR *occuper cet emploi* (Lexis). — *Je ne suis pas qualifié* POUR *lui faire des remontrances* (Id.).

QUITTE. *Je suis quitte* ENVERS *vous* (Acad.). — *Il m'a vendu ce bien franc et quitte* DE *toutes dettes et hypothèques* (Id.). — *Nous voilà quitte* À *quitte* (Id.) [= nous sommes quittes l'un envers l'autre ; locution vieillie].

N.B. — Avec un infinitif on dit « quitte *à » : Quitte* À *perdre ma place, j'agirai suivant ma conscience* (Acad.). — « Quitte *pour »* est vieux : *Quitte* POUR *être grondé* (Littré).

QUITTER. *Je ne la quittai pas* DES *yeux* (Littré). — *Si je quittais* DE *vue un seul moment ma chère Providence* (Mme de Sévigné).

Je vous quitte DE *tous vos compliments* (Bescherelle) [= je vous dispense ; emploi vieilli].

POUR *vous, j'ai tout quitté* (Racine). — *Vous quittez le maître des humains* / POUR *adorer l'ouvrage de vos mains* (Id.). — *On ne quitte pas volontiers Paris* POUR *la province* (Marivaux). — *Quitter l'épée* POUR *la plume* (Robert).

RAISON. On peut dire : « *à* raison de » [= à proportion de, surtout en termes de commerce] : *On paya cet ouvrier* À *raison de l'ouvrage qu'il avait fait* (Acad.). — *Chacun doit contribuer aux dépenses publiques* À *raison de ses capacités* (V. Giscard d'Estaing).

On dit aussi : « *en* raison de » [= à proportion de, à cause de] : *L'ambition s'accroît* EN *raison des succès que l'on obtient* (Littré). — EN *raison de son extrême jeunesse* (Acad.).

RAISON avec un infinitif. On dit : « des raisons *pour* » ou « des raisons *de* » : *J'avais d'autres raisons* POUR *lui résister* (Fr. Mauriac). — *Quand on a des raisons* DE *se méfier* (M. Aymé).

RAPPELER (SE ~). Est transitif direct : « On se rappelle qqch. » (non : ... *de* qqch. »).

N.B. — 1. La construction populaire avec *de* se rencontre assez souvent, même chez de bons auteurs : *Elle se rappelait* DE *sa demande* (Fr. Jammes).

2. Avec un infinitif complément, l'emploi de *de* est vieux : *Il s'est rappelé* DE *vous avoir vu plusieurs fois* (J.-J. Rousseau). — Usage normal d'aujourd'hui : *Je me rappelle avoir vu, avoir fait telle chose* (Acad.).

RAPPORT (SOUS LE ~). Locution critiquée par Littré. Déjà employée au XVIIe siècle, elle est devenue tout à fait courante : *Selon les divers rapports* SOUS *lesquels nous les considérons* (Bourdaloue). — *Valence*, SOUS *le rapport pittoresque, répond assez peu à l'idée qu'on s'en fait* (Th. Gautier). — *Cette voiture est excellente* SOUS *le rapport* DE *la commodité*, DE *la vitesse* (Acad.).

N.B. — 1. À noter que cette locution, quand elle est complétée par un nom, demande l'article et la préposition *de* (voir ci-dessus l'exemple de l'Académie).

2. « Rapport *à* » [= à cause de] est populaire ou très familier : *Essuie-toi les pieds, rapport* AU *tapis* (G. Bernanos).

RECONNAISSANT, RECONNAISSANCE [en parlant d'un bienfait reçu].

a) Avec *de : Il est bien reconnaissant* DES *services que vous lui avez rendus* (Acad.). — *Recevez ce présent en reconnaissance* DE *ce que vous avez fait pour moi* (Id.). — *Vous ne m'empêcherez pas de vous dire combien je suis pénétré de reconnaissance* DE *ce que vous daignez faire* (Voltaire). — *Je vous serais reconnaissant* D'*user de votre influence pour que les services auxquels vous aurez affaire se montrent discrets* (G. Duhamel).

b) Avec *pour : Je suis pénétré de reconnaissance* POUR *toutes vos bontés* (Acad.). — *Parlez quelquefois dans le palais Torrigiani de ma reconnaissance* POUR *le bon accueil qu'on m'y a fait* (Stendhal).

N.B. — Pour désigner la personne à qui s'adresse la reconnaissance, on emploie *à* ou *envers : Être reconnaissant* À *qqn d'un bienfait* (Petit Robert). — *Reconnaissant* ENVERS *ses bienfaiteurs* (Littré). — *Soyez assuré de ma reconnaissance* ENVERS *vous.*

REÇU (AU ~ DE) [= à la réception de] : AU REÇU DE *la lettre, il dit à sa femme...* (M. Druon).

N.B. — Semblablement : « au vu de » : *Cette chose s'est faite* AU VU DE *tout le monde* (Acad.).

RÉFLÉCHIR, FAIRE RÉFLEXION (= penser mûrement, considérer attentivement).

a) Avec *sur : Je vous prie de réfléchir* SUR *cette affaire* (Acad.). — *Il faut faire réflexion* SUR *l'état de ceux qui sont plus malheureux que nous* (Mme de Sévigné).

b) Avec *à : Avant de parler, réfléchissez* À *ce que vous allez dire* (Lexis). — *J'ai réfléchi* À *ce que vous m'avez dit* (Acad.). — *Faites réflexion* À *ce que je vous dis* (Marivaux).

REFUSER. *a) «* Refuser *de »* + infin. : *Il a refusé* DE *me prêter de l'argent* (Acad.).

b) « Se refuser *à » : Il se refuse* À *travailler* (Acad.). — *Il se refuse* AUX *plaisirs les plus innocents* (Id.).

REGARDER. *a)* Transitif direct (= concerner) : *Cela ne me regarde point* (Acad.).

N.B. — Incorrect : « Cela ne *lui* regarde pas » [pour : « Cela ne *le* regarde pas »].

b) Transitif indirect [= prendre garde] : avec *à : Avec lui je ne regarde pas* À *mes intérêts* (Acad.).

c) « Y regarder *à* deux fois » : *Avant de prendre cet engagement, il faut y regarder* À *deux fois* (Acad.).

REGRETTER, AVOIR REGRET, ÊTRE AU REGRET, avec un infin. complément : *Je regrette* DE *lui avoir parlé trop rudement* (Acad.). — *J'ai regret* DE *le dire* (Sainte-Beuve), ou : *J'ai regret* À *le dire* (Acad.). — *J'ai du regret* DE *vous voir dans l'erreur* (Id.). — *Je suis au regret* D'*avoir dit,* D'*avoir fait cela* (Id.). — *J'ai le regret* DE *vous apprendre que...* (Id.).

« *À* regret » [= avec déplaisir] : *Il a fait cela* À *regret* (Acad.). — *Nous partons* À *regret* (Id.).

REMERCIER. Voir **MERCI.**

RÉPONDRE. *a)* « Répondre *à* », au sens de « être en accord avec, conforme à » : *Le style de cet ouvrage répond* À *la grandeur du sujet* (Acad.).

b) « Répondre *de* » = s'engager en faveur de, se porter garant : *Répondre* D'*un prisonnier* (Acad.). — *Répondre* DE *l'innocence de qqn.* — *Je vous réponds* DE *l'amener* (Acad.).

On dit aussi : *Répondre* POUR *qqn* = être caution pour lui.

RÉPUGNANCE. *a)* Avec *à : J'ai grande répugnance* À *cela* (Acad.). — *J'ai une grande répugnance* À *prendre ce parti* (Id.).

b) Avec *pour : Il a de la répugnance au mariage,* POUR *le mariage* (Acad.).

N.B. — 1. On dit : « répugner *à* qqch. » : *L'assemblée répugnait* À *cette mesure* (Acad.). — *Je répugne souverainement* À *faire cela* (Id.).

« Il me répugne *de* » + infin. : *Il lui répugne* D'*avoir à quémander* (Petit Robert).

2. Parfois : « répugné *par* » [= dégoûté par] : *Après avoir flairé longuement la grande barbe blanche* [d'un acteur], *répugné sans doute* PAR *l'odeur de la colle, il* [un chat] *retourna dormir en rond sur la banquette* (Zola).

RÉSERVER. *Réserver la meilleure place* À *son père.* — *Réserver le meilleur* POUR *la fin.* — *Réserver une place* DANS *le train.* — *Il se réserve* POUR *de plus grandes choses* (Acad.). — *Se réserver* DE *faire qqch.* (Id.).

RÉSOUDRE [= décider] **+ infin.** *a)* Sans complément de personne : avec *de : On a résolu* D'*agir sans plus tarder* (Acad.).

b) « Être résolu *à* » : *Je suis résolu* À *rester* (Acad.). — Vieilli : *Il est résolu* D'*empêcher ce mariage* (Id.).

c) « Se résoudre *à* » : *Résous-toi, pauvre époux,* À *vivre de couleuvres* (Boileau). — Vieilli : *Résous-toi* DE *me suivre* (Molière).

RESSEMBLER. *Cette mère-là ne ressemble guère* À *sa fille* (Marivaux). — *Cette horloge ressemble* À *la nôtre* (Acad.). — *La forêt ressemblait* À *une bête allongée* (B. Clavel).

Ne dites pas : *Ce fils ressemble son père* [construction ancienne, étrangère aujourd'hui à l'usage normal, mais qui s'est maintenue dans la langue populaire].

RESSORTIR. *a)* Au sens de « sortir de nouveau, après être déjà sorti » ou de « sortir après être entré », *ressortir* construit avec *de* le complément de lieu : *Ressortir* DE *chez soi* (Petit Robert).

b) Au sens de « être du ressort de qq. juridiction, relever de, concerner », se construit avec *à : Mon affaire ressortit* AU *juge de paix,* AU *tribunal de première instance* (Acad.). — *Dans tout ce qui ressortit* AU *music-hall* (Colette).

N.B. — Certains auteurs, abusivement, conjuguent *ressortir*, pris dans ce second sens, comme *sortir* ou le construisent avec *de : Le cryptomère ressort à la famille des pins* (Claudel). — *Mais un tel sujet n'allait-il pas lui paraître ressortir* DU *roman plutôt que* DE *l'histoire naturelle ?* (A. Gide.)

RESTER [= ne pas s'en aller] + **infin.** Au choix : *a)* avec *à : Restez ici* À *dîner* (Acad.). — *Vous resteriez* À *coucher* (A. Gide). — *Il est possible qu'on nous demande de rester* À *dîner* (M. Proust).

b) Sans préposition : *Vous restez dîner avec nous* (É. Henriot). — *Gérard restait coucher rue Montmartre* (J. Cocteau).

RETOUR. *a)* On dit bien : « *de* retour » [= revenu] : *Quand il fut* DE *retour chez lui* (Acad.). — DE *retour chez moi, j'ai trouvé* votre lettre (Id.). — *L'abbé de Bonnevie est ici,* DE *retour* DE *Rome* (Chateaubriand). — *Ma mère,* DE *retour* DU *puits, marchait d'un pas de somnambule* (M. Pagnol).

b) On dit aussi, très couramment, sans *de* introducteur, « retour de » : *Elle aussi s'était peut-être fait, ou refait, des illusions sur les héros,* RETOUR *du front* (J. Romains). — *Aussi quand mes parents,* RETOUR *de promenade, apparurent en fin de matinée, c'est nous trois rangés unanimement côte à côte qui les reçûmes à la porte* (H. Bosco).

RETRAITE. Indifféremment : « Un officier *en* retraite » ou « *à* la retraite » :

a) Cet officier a été mis À *la retraite* (Acad.). — *Être mis* À *la retraite d'office* (Petit Robert). — *Colonel* À *la retraite* (P.-H. Simon). — *Généraux* À *la retraite* (Th. Maulnier). — *Depuis qu'il est* À *la retraite, il s'occupe davantage* (R. Ikor).

b) Officier, fonctionnaire EN *retraite* (Petit Robert).

RÉUNIR. Voir **UNIR.**

RÊVER. *a)* Au sens propre, construit avec *de* le nom ou le pronom complément d'objet : *Je n'ai fait que rêver* DE *vous toute la nuit* (Hugo).

b) Au sens de « imaginer », de « désirer », admet *à* et *de* : *À quoi rêvez-vous ?* (Acad.) — *Rêver* D'*une vie enfin délivrée d'artifices* (M. Arland). — Avec *de* si le complément est un infinitif : *À moi qui ne rêvais que* DE *vivre oublié* (Chateaubriand).

c) Au sens de « méditer profondément », se construit avec *sur* ou avec *à* : *J'ai longtemps rêvé* SUR *cette affaire,* À *cette affaire* (Acad.).

RICHE, PAUVRE. *a)* Avec *de* : *Riche* DE *tout ce dont on n'a pas besoin* (La Bruyère). — *Mazarin était riche* D'*environ deux cents millions* (Voltaire). — *Riche* DE *vertus* (Acad.). — *Sa famille n'était riche que* DES *libéralités du roi* (Id.). — *Ils étaient si pauvres* DE *talents et* DE *ressources* (Diderot). — *Un jeune homme aussi pauvre* D'*habits que riche* DE *mine* (Scarron).

b) Avec *en* : *Une bibliothèque riche* EN *manuscrits* (Littré). — *Il est riche* EN *argent,* EN *meubles,* EN *terres* (Acad.). — *C'est un pays riche* EN *blés* (Id.). — *La brigade trouvait le village pauvre* EN *estaminets* (A. Maurois, dans le Petit Robert).

RIEN DE MOINS, RIEN MOINS.

a) « Rien *de* moins que » : signifie « pas moins que » ; il marque un sens positif : *Buvez ceci, ce n'est rien* DE *moins qu'un délice* [= c'est vraiment un délice].

b) « Rien moins que » signifie « nullement » ; il marque un sens négatif : *Ne buvez pas cette mixture : ce n'est rien moins qu'un délice* [= c'est tout plus qu'un délice, ce n'est nullement un délice].

N.B. — 1. Dans l'usage, même littéraire, cette distinction est loin d'être toujours observée. À recommander : afin d'éviter l'équivoque, se servir, pour le sens positif, de *rien de moindre que.*

2. On dit : « Ils ne savent rien », « Ils n'en savent rien ». — Ne dites pas, en ce sens : *Ils ne savent* DE *rien, je ne sais* DE *rien.* [Flandricisme.]

RIRE. *Savoir rire* DE *soi-même avant de rire* DES *autres. — Je ris* DE *me voir si belle en ce miroir. — Nous avons ri* AUX *larmes. — Cela rit* À *l'imagination* (Littré). — *Rire* AU *nez* À *qqn. — On se rirait* DE *vous, Alceste, tout de bon* (Molière). — *Le poète est semblable au prince des nuées / Qui hante la tempête et se rit* DE *l'archer* (Baudelaire).

Populairement : *C'est pour* DE *rire.*

RUE. *a)* On dit : « *dans* la rue » : *Si,* DANS *la rue, quelqu'un élève trop la voix, mon cœur se met à battre* (E. Jaloux). — *Elle avait parfois,* DANS *la rue, au restaurant, un accès de fierté* (J. Giraudoux).

N.B. — Ne dites pas : « *en* rue » [tour ancien] ; mais on peut dire : « *en pleine rue* ». Ne dites pas non plus : « jouer *sur* la rue » pour : « ... *dans* la rue ».

b) « Jeter, mettre qqn *à* la rue », parfois : « ... *dans* la rue » [= le réduire à la misère] : *Il allait donc la chasser, la mettre* À *la rue* (Zola).

c) On dit : *Habiter* DANS *une rue,* DANS OU SUR *une avenue,* SUR *un boulevard,* SUR *une place.* — On peut aussi ne pas mettre de préposition : *Il habite rue Vaneau, boulevard Voltaire.*

d) « *Sur* la rue » [= avec vue sur la rue] : *Loger* SUR *la rue* (Littré). — *Avoir pignon* SUR *rue* = avoir une maison à soi, posséder des immeubles.

e) Avec les noms de rues, d'avenues, de boulevards, de places, etc. :

Sans *de :* quand la désignation particulière s'indique par un nom propre de personne : *rue Buffon, avenue Victor Hugo, boulevard Haussmann, cours Albert 1er, place Joffre, quai Voltaire, impasse Joinville, square Gambetta.*

Avec *de (du, de l', de la, des) :* quand le nom propre de personne est précédé d'une qualification (titre, grade, fonction, etc.) ou quand la désignation particulière est faite par un nom de lieu : *rue* DU *Docteur Roux, rue* DU *Général Niox, rue* DU *Colonel Gillon, avenue* DU *Pasteur Wagner, avenue* DU *Maréchal Lyautey, rue* DU *Cardinal Mercier, rue* DE *l'Amiral Mouchez, rue* DU *Sergent Bauchat, place* DE *la Reine Astrid, avenue* DU *Président Wilson ; boulevard* DE *Sébastopol, rue* DE *Liège, avenue* DES *Tilleuls.*

SAUF. Répétition facultative de la préposition : *Pardonner* À *tous, sauf* À *tel et tel. Pardonner à tous, sauf tel et tel.* — Voir **EXCEPTÉ.**

SEMAINE. On peut dire : « *en* semaine » [= pendant les jours ouvrables, par opposition au dimanche] : EN *semaine, cette partie de la ville était assez peu fréquentée* (J. Green).

N.B. — Pour marquer la périodicité : *Qui a lieu une fois* PAR *semaine.* — Sans préposition : *Trois fois la semaine* (Robert).

SERVIR. Au choix : *a)* « ne servir *à* rien » : *Cela ne sert* À *rien* (Dictionn. général).

b) « Ne servir *de* rien » : *Les titres ne servent* DE *rien pour la postérité* (Voltaire). [Plus littéraire.]

N.B. — 1. *Servir* + infin. *a)* Avec *à : Cet outil sert* À *poncer. — Cela ne servirait qu'*À *l'indisposer contre vous* (Acad.).

b) Avec *pour : Une très haute armoire à glace qui me servirait chaque jour,* POUR *me raser* (Maupassant).

2. *Servir*, au sens de « tenir lieu de » : avec *de : Il m'a servi* DE *père* (Acad.). — *Que cela vous serve* DE *leçon* (Id.).

SKI. Tour ordinaire : « Aller *à* ski(s) » : *Tous mes malheurs* À *ski* (P. Daninos). — *Les promenades* À *ski* (H. Troyat). — *Il parcourt* À *skis le mont Wilson* (P. de Latil).

N.B. — Parfois : « *en* skis » (tour qui était préconisé par Dauzat).

SOIGNER [= assister comme médecin] : On dit : « soigner *pour* tel mal », ou encore : « soigner *de* tel mal » : *On l'a soigné longtemps* POUR *une névralgie opiniâtre* (Littré). — *Il soigna sa femme* D'*une horrible petite vérole* (H. de Régnier).

N.B. — 1. Même observation pour *traiter* [= assister comme médecin].

2. Ne dites pas : « Je soignerai *pour* cette affaire ». Dites : « Je m'occuperai de cette affaire, j'y donnerai mes soins, j'y veillerai ».

SOIR. Voyez **MATIN.**

SOLLICITER + infin. Au choix : *a)* avec *à : Solliciter qqn* À *faire qqch.* (Acad.). [Littéraire.]

b) Avec *de : Solliciter qqn* DE *faire qqch.* (Acad.). — *Ils l'avaient sollicité* D'*entrer dans leur parti* (Id.).

SOUCIER. *a)* Ordinairement, emploi pronominal, avec *de* (ou *que* + subj.) : *Il ne se soucie* DE *rien,* DE *personne* (Acad.). — *Je ne me soucie pas qu'il vienne* (Id.).

b) Avec une teinte archaïque, comme transitif direct, au sens de « chagriner, affecter » : *Cela me soucie* (Diderot). — *M*[me] *Vasseur s'était ouverte à Jean de ce qui la souciait si fort* (J. Green).

SOUHAITER + infin. Indifféremment : *a)* « souhaiter *de* » : *J'ai donc souhaité* DE *vous voir* (Montherlant).

b) Sans préposition : *Tout politicien souhaite plaire* (A. Maurois).

N.B. — Quand il y a un objet indirect désignant la personne, il faut *de* : *Je te souhaite* D'*être toujours bonne et sensible* (Stendhal).

SOUPIRER (= désirer ardemment).

a) Ordinairement avec *après* : *Il y a longtemps qu'il soupirait* APRÈS *cette place* (Acad.).

b) Se construit aussi avec *pour* : *Il soupire* POUR *cette femme* (Acad.).

SOUVENIR (SE ~) + infin.

a) Avec *de* : *Le cocher se souvint* DE *m'avoir mené* (Chateaubriand).

b) Sans préposition : *Je me souviens avoir protesté* (A. Billy).

SUCCOMBER. *a) Succomber* À *la tentation,* AU *sommeil.* — *Je succombe* À *l'excès de ma rage* (Voltaire). — *Il avait succombé* À *une tentation brutale* (H. Bazin).

b) Il n'est pas honteux à l'homme de succomber SOUS *la douleur, et il lui est honteux de succomber* SOUS *le plaisir* (Pascal, dans Littré). — *Succomber* SOUS *le poids de ses fautes* (Petit Robert).

SUFFIRE. *a) Peu de bien suffit* AU *sage* (Acad.). — *Il suffit* DE *tant de blé* POUR *tant d'hommes* (Id.). — *Cinq cents francs ne peuvent suffire* POUR *toutes ces emplettes* (Id.).

b) Suivi d'un infinitif : avec *à* ou *pour : Un rien suffit* À *inquiéter un amant* (A. Maurois, cit. Sandfeld). — *La plus légère contrariété suffit* POUR *l'irriter* (Acad.).

SUITE. *a) De brillants officiers venaient* À *la suite du prince* (Acad.).

b) Vieilli : EN *suite de l'entretien que vous avez bien voulu me demander, je vous confirme que...* (Montherlant).

c) « Dans la suite » = après cela : *Ceci n'est pas clair, mais il le deviendra* DANS *la suite* (J.-J. Rousseau).

d) « De suite » = sans interruption : *Il ne saurait dire deux mots* DE *suite* (Acad.).

Au sens, critiqué à tort, de « sur-le-champ » : *Allez* DE *suite vous restaurer* (A. Gide). — *Je ne pus me coucher* DE *suite* (J. Kessel).

e) « Par la suite » = dans la période qui a suivi ou qui suivra : *Nous n'aurions à déplorer rien de ce qui arriva* PAR *la suite* (A. Gide). — *Nous verrons* PAR *la suite* (Robert). — *Si je reviens à Nice* PAR *la suite (...), ce sera l'idée de vous y retrouver* (J. Romains).

f) « Tout *de* suite » = sur-le-champ : *Il faut appliquer ce remède tout* DE *suite* (Acad.). — Parfois au sens, aujourd'hui vieilli, de « sans interruption » : *Un abbé Trublet a imprimé qu'il ne pouvait lire un poème tout* DE *suite* (Voltaire, dans Littré).

N.B. — Dans la langue commerciale : *Suite* À *votre demande...* — Dans le style « soigné » on pourra préférer : *Comme suite à sa demande...* (R. Dorgelès), ou : *En réponse à votre demande...*

SUR. Parmi les très nombreux emplois de *sur,* notons les cas suivants : *Il se couche* SUR *les dix heures.* — *Discuter* SUR *des pointes d'aiguilles.* — *Travailler* SUR *un sujet.* — *Ce qu'on sait* SUR *lui de plus sûr* (É. Henriot). — *Que dit-on* SUR *moi à Rimini ?* (Montherlant.) — *Un chèque* SUR *Paris.* — *Rester* SUR *son quant-*

à-soi. — *Il nous faudra vivre* SUR *notre capital* (Fr. Mauriac). — *Nous inscrivons volontiers notre signature* SUR *les registres des hôtels où nous passons* (É. Henriot). — *Être propre* SUR *soi* (Acad.). — *Loger* SUR *la rue* (Littré). — *Nos vacances* SUR *la Côte basque* (P. Daninos) [voir CÔTE]. — SUR *le plan des faits* [voir PLAN]. — *On voit ça* SUR *le journal* (Montherlant) [voir JOURNAL]. — SUR *cent, pas deux de bons.*

TÂCHER + infin. *a)* Tour ordinaire : « tâcher *de* » : *Je tâcherai* DE *vous satisfaire* (Acad.).

b) « Tâcher *à* », tour classique, reste assez fréquent dans l'usage littéraire : *Tâche* À *résoudre l'énigme du bonheur que je te propose* (M. Proust).

N.B. — Pour l'Académie, « tâcher *à* » prend le sens particulier de « viser à ». Certains estiment que *tâcher à* marque mieux le but de l'effort ou indique une action ayant un but marqué hors du sujet. En fait, l'usage ne fait pas de distinction réelle entre les deux constructions.

TARDER + infin. Tour ordinaire : « tarder *à* » : *Vous avez bien tardé* À *venir* (Littré).

N.B. — 1. Archaïque : avec *de : J'ai bientôt senti que j'avais trop tardé* D'*exécuter ce projet* (J.-J. Rousseau). — *Je ne tardai pas* D'*aller mieux* (A. Gide).

2. Impersonnellement, avec *de : Il me tardait* DE *vous voir* (Acad.).

TÉMOIGNER. *a)* Au sens de « manifester » : se construit sans préposition : *Témoigner une vive joie* (Acad.).

b) Au sens de « porter témoignage » : se construit avec *de : Je témoignerai* DE *son innocence,* DE *sa probité,* DE *sa bonne foi* (Acad.).

N.B. — Quand le sujet désigne une chose, *témoigner* se construit toujours avec *de : Ces magnifiques édifices témoignent* DE *la richesse passée du pays* (Acad.).

TEMPS (DE ~ À AUTRE). Cette locution est parfaitement reçue par l'usage (et c'est à tort qu'elle est rebutée par Martinon) : *Il vient me voir* DE *temps* À *autre* (Acad.). — DE *temps* À *autre* (Littré). — *Les prêtres,* DE *temps* À *autre, pinçaient sur leurs lyres des accords presque étouffés* (Flaubert, cit. Robert).

TENIR [= réputer, croire]. On dit : « tenir qqn *pour* honnête », ou : « tenir qqn honnête » : *a) Je le tiens* POUR *honnête homme* (Acad.). — *Je vous tiens* POUR *incapable de parler sérieusement* (Ionesco).

b) Je tiens ces deux opinions également soutenables (Acad.). — *On pouvait le tenir un grand homme* (R. Boylesve).

N.B. — 1. On dit : « être tenu *à* » [= être obligé à faire qqch.] : *Je ne suis pas tenu* À *cela* (Acad.). — *Vous n'étiez pas tenu* À *me raconter votre vie* (P. Bourget). — Avec *de : Un héritier est tenu* DES *dettes de celui dont il hérite* (Acad.). — *Il est tenu* DE *m'indemniser* (Id.).

2. *Tenir,* au sens de « être partisan de, être d'un sentiment », se construit avec *pour : Tenir* POUR *qqn,* POUR *une opinion* (Acad.).

TERMINER, avec un infinitif complément : *Il termina sa harangue* PAR *invectiver contre les trafiquants de drogue. — Je terminerai cet article* PAR *réfuter une erreur* (Bernardin de Saint-Pierre, dans Littré).

Le plus souvent, on préfère la construction « terminer *par* » + un nom : *Terminer* PAR *des invectives contre... — Terminer un article* PAR *la réfutation d'une erreur.*

TERRE. À son gré : « *à* terre » ou « *par* terre » :

a) Se jeter À *terre* (Acad.). — *Le mouchoir tomba* À *terre* (A. Gide). — *Je sautai* À *terre* (H. Bosco).

b) Se jeter PAR *terre* (Acad.). — *Il posa son fardeau* PAR *terre* (P. Loti).

TÊTE À TÊTE. « *En* tête à tête » est parfaitement correct : *Il m'arrive si rarement d'être* EN *tête à tête avec elle* (A. Gide).

N.B. — Les puristes prétendent, à tort, qu'il faut dire « tête à tête », sans *en*. Les deux formules sont admises.

TIRER [avec une arme]. *a)* « Tirer *sur* » : *Tirer un coup de feu* SUR *qqn* (Petit Robert). — *Ne tirez pas* SUR *le pianiste. — Tirer* SUR *des moineaux,* ~ SUR *une cible.*

b) « Tirer *à* » [en désignant l'arme, le projectile] : *Tirer* À *l'arc. Tirer* À *boulets rouges sur qqn.*

c) « Tirer *contre* » [un objectif] : *Tirer* CONTRE *un mannequin.*

N.B. — Ne dites pas : « Il tire *après* son père, ... *sur* son père ». Dites : *Il ressemble* À *son père.*

TOUCHER. *a)* Au sens de « jouer » (en parlant de certains instruments de musique). Normalement, transitif direct : [Le P. Caton] *avait de l'esprit, faisait des vers, parlait bien, chantait mieux, avait la voix belle, touchait l'orgue et le clavecin* (J.-J. Rousseau). — *Toucher l'orgue, le piano* (Acad.).

Avec *de* (abusivement selon l'Acad. et selon Robert) : *On peut l'entendre* [la messe] *en touchant* DE *l'orgue* (Bossuet, dans Littré). — *Elle savait (...) faire de la tapisserie et toucher* DU *piano* (Flaubert). — *Elles chantent ou elles touchent* DU *piano* (Sartre, dans le Grand Larousse de la Langue fr.).

b) Au sens de « entrer ou être en contact avec » : *Il le toucha* DU *coude* (Acad.). — *Il l'a touché* AVEC *son gant* (Id.). — *Toucher le but, toucher* AU *but* (Id.). — *Cet enfant touche* À *tout* (Id.). — *Il m'a touché* DANS *la main* (Id.) [= il m'a donné la main ; construction vieillie]. — *Le navire a touché* CONTRE *un rocher* (Id.).

TOUR. *a)* Indifféremment : « c'est mon tour », « c'est *à* mon tour » : *Aujourd'hui c'était leur tour* (Michelet). — *C'était* AU *tour de Christophe* (R. Rolland).

b) « En un tour *de* main » : *Il change d'avis en un tour* DE *main* (Acad.). — On dit aussi : « en un tournemain » : *En un tournemain il s'empara d'un plaid* (H. Bazin).

TRAIN DE PARIS / POUR PARIS. Voyez **POUR**, N.B., 3.

TRAITER. *a)* « Traiter *de* » [= qualifier de] : *Traiter qqn* DE *prince,* DE *fat,* DE *fou* (Acad.). — *Vous me traitez* DE *bourrique* (Ionesco). — *Traiter quelqu'un* DE *sot, c'est s'appliquer tout ce qu'on lui retire* (P. Valéry).

b) « Traiter *en* », avec un nom marquant la situation, le rôle que prend celui qui traite : *Il la traitait* EN *père plus qu'*EN *protecteur* (Lamartine, dans Robert).

N.B. — 1. Pour *traiter* [= assister comme médecin], voir SOIGNER.
2. « Il m'a traité *de* tous les noms » = en se servant de tous les noms.

TRANCHER. Au sens de « faire prétentieusement le personnage de » : *Trancher* DU *grand seigneur,* DU *bel esprit* (Acad.).

Sens de « contraster » : *Ce cramoisi tranche trop* AUPRÈS DU *vert,* SUR *le vert* (Acad.). — *Ce Laurent (...) était un créole fort intelligent, actif et dont les manières tranchaient* AVEC *celle des sans-culottes* (M. Garçon).

Sens de « décider hardiment » : *Il fait le docteur, il tranche* SUR *tout* (Acad.).

TRAVAILLER. Avec *à :* = s'occuper de, s'efforcer de, faire des efforts pour exécuter qqch. : *Travailler* AU *bonheur des hommes* (Acad.). — *Travailler* À *un tableau* (Littré).

Avec *de : Travailler* DE *corps,* D'*esprit* (Littré). — Très familier : *Travailler* DU *chapeau* (= être fou).

Avec *pour : Quand vous avez remonté le poids de votre horloge, il travaille* POUR *vous* (Alain). — *Hélas ! J'ai travaillé* POUR *des prunes !*

Avec *sur : Je vais d'ailleurs vous laisser travailler un peu* SUR *ce dossier* (H. Bazin).

TRAVERS. *a) « À* travers », *« Au* travers *de » :* pas de distinction à faire entre ces deux expressions : *S'avancer* À TRAVERS *la nuit,* AU TRAVERS DE *la nuit. — On ne voyait le soleil qu'* À TRAVERS *les nuages* (Acad.). — *Il avait longtemps marché* AU TRAVERS DE *la ville* (A. Gide).

b) « En travers *de »* = d'un côté à l'autre : *On avait mis* EN TRAVERS DU *chemin une corde, une poutre* (Dict. général).

TRÉBUCHER [= perdre l'équilibre, buter]. On peut dire : *a) «* Trébucher *contre* qqch. » : *Il a trébuché* CONTRE *une pierre* (Littré).

b) « Trébucher *sur* qqch. » : *Elle trébuche* SUR *les obstacles* (Le Clézio, cit. Lexis). — *Il trébucha* SUR *le seuil de la porte métallique* (B. Vian).

c) « Trébucher *dans* qqch. » : *Trébucher* DANS *une affaire* (Acad.). — Emploi vieilli (= tomber) : *Ils trébuchèrent* DANS *la rivière* (Acad.).

TREMBLER + infin. *a)* Avec *de* pour marquer une action encore à venir : *Je tremble* DE *le voir,* DE *ne pas le voir* (Littré).

b) Avec *à* pour marquer la crainte qu'on éprouve en voyant l'action dont il s'agit : *Je tremble* À *le voir* [= j'éprouve de la crainte en le voyant].

TROMPER, SE TROMPER. *Mais vous-mêmes, trompés* D'*un vain espoir de gloire* (Racine). — *L'auditeur n'est point trompé* DE *son attente* (Corneille, dans Littré). [On dirait aujourd'hui : ... DANS *son attente.*]

Se tromper DE *route,* D'*adresse.*

Il se trompait pourtant SUR *le caractère de Formosante* (Voltaire). — *On se trompe gravement* SUR *la Nature humaine* (Fustel de Coulanges, dans le Petit Robert). — *Se tromper* DANS *ses raisonnements* (Robert).

TROP. Avec un nom, ou un pronom, ou une expression numérale marquant la mesure de l'excès, se construit :

a) Avec *de : Tout ce qu'on dit* DE *trop* (Boileau). — *Vous m'avez donné cent francs* DE *trop* (Acad.). — *Trois hommes ne furent pas* DE *trop pour le mettre dehors* (Flaubert).

b) Avec *en : Il faut retrancher ce qui est* EN *trop* (Acad.). — *Avoir des bagages* EN *trop* (Robert).

N.B. — 1. « Être *de* trop » = imposer une présence inutile ou inopportune : *Je crois que nous sommes* DE *trop dans cette petite fête de famille* (Flaubert). — *Restez, vous n'êtes pas* DE *trop* (Robert).

2. « Être trop » = être trop nombreux : *Ces âmes malheureuses que j'ai mission de sauver, elles sont trop !* (Daniel-Rops.) — *Deux fois, ce n'est pas trop* (G. Sand).

3. « *Par* trop » = beaucoup trop : *Il est* PAR *trop pressé* (Littré). — *Cet homme est aussi* PAR *trop ennuyeux* (Acad.). — *C'est* PAR *trop fort !*

TUER (SE ~). *Il s'est tué* D'*un coup de pistolet* (Acad.). — *Il se tue* DE *travail* (Id.). — *Vous vous tuez* À *mener une pareille vie* (Id.). — *Je me tue* À *vous répéter toujours la même chose* (Id.). — *Ils se tuaient* À *la peine comme des galériens* (R. Rolland, dans le Petit Robert).

UNANIME. *a)* Avec *sur : Nous avons été unanimes* SUR *cette question* (Acad.).

b) Vieilli : « unanime *avec* » : *Un prélat toujours unanime* AVEC *ses consécrateurs* (Bossuet).

c) Suivi d'un infin., il se construit avec *à* ou avec *pour : La critique parisienne a été unanime* À *féliciter M. Bonzigue* (Veber, cit. Sandfeld). — *Les juges furent unanimes* POUR *l'absoudre* (Dictionn. général).

UNIR, RÉUNIR. *Unir un mot* À *un autre,* AVEC *un autre par un trait d'union pour n'en former qu'un seul* (Bescherelle). — *La cour veut toujours unir les plaisirs* AVEC *les affaires* (Bossuet, dans Littré). — *Ils n'ont jamais manqué de s'unir* CONTRE *moi* (J.-J. Rousseau). — *Unir un mot* À *un autre,* PAR *un autre* (Acad.). — *S'unir* CONTRE *l'envahisseur,* POUR *repousser l'envahisseur.*

Réunir une chose À *une autre* (Petit Robert). — *Réunir* PAR *un lien* (Id.). — *Se réunir* ENTRE *amis,* AVEC *des amis* (Id.). — *Tous les suffrages se sont réunis* SUR *lui* (Acad.). — *Ils se réunirent* SOUS *un même chef* (Id.). — *Ils se sont réunis* CONTRE *l'ennemi commun* (Id.). — *Réunir* EN *soi divers contrastes.*

UTILE. *L'esclave n'a qu'un maître, l'ambitieux en a autant qu'il y a de gens utiles* À *sa fortune* (La Bruyère). — *Être utile* À *qqn* EN *qqch.,* À *qqch.* (Bescherelle). — *Il préférait ce qui était plus utile* POUR *l'État à ce qui pouvait être plus glorieux pour lui-même* (Fléchier, dans Bescherelle).

VAINCRE. *Je ne pouvais le vaincre* EN *thème ; mais j'étais presque toujours vaincu par lui* EN *version* (Bescherelle). — *Vaincre* À *la course, vaincre* DANS *la dispute* (Littré).

VALOIR MIEUX. L'infinitif qui suit « il vaut mieux », « mieux vaut » s'introduit ordinairement sans *de : Il vaut mieux mourir selon les règles* (Molière). — *Il vaut mieux se taire que de dire des sottises* (Grand Larousse de la L. fr.). — *Il vaut mieux rêver sa vie que la vivre* (M. Proust). — *Il vaut mieux vous retirer à Nantes* (H. Bazin). — *Mieux vaut encore penser que lire* (Littré).

La construction avec *de* est vieillie : *Il me vaudrait bien mieux* D'*être au diable que* D'*être à lui* (Molière). — Mais on met *de* après « Cela (ou ça) vaut mieux » : *Ça vaut toujours mieux* D'*avoir quelqu'un de sûr* (A. Daudet, dans Sandfeld).

VÉLO (EN ~, À ~). Voir **BICYCLETTE.**

VENGER (SE ~). *Il se vengea* DU *père* SUR *le fils* (Petit Robert).— *Se venger* D'*une insulte,* D'*une injure* (Id.). — *Se venger* SUR *qqn* D'*une injure qu'on a reçue* (Acad.).

VENIR *à* **+ infin.** marque quelque chose de fortuit, d'inattendu : *S'il venait* À *mourir* (Littré). — *Je vins tout à coup* À *me le rappeler* (Acad.). — *Les vivres vinrent* À *manquer.*

Venir de + infin. marque un fait achevé depuis peu de temps : *Je viens* DE *le voir* (Littré). — *Je viens* DE *quitter un ami* (Chateaubriand). — *Elle venait* DE *prendre son chocolat* (Musset).

VERRE. Pour : « verre *à* vin, ~ *de* vin », etc., voyez **POT.**

VILLE. *Se promener* DANS *une ville* (Acad.). — *Errer* PAR *la ville* (Id.). — *Il est allé faire un tour* DE *ville, un tour* EN *ville* (Id.). — *Arriver sans encombre* À *la ville* (La Fontaine).

VIS-À-VIS. Ordinairement avec *de : Je me plaçai vis-à-vis* DE *lui* (Acad.).

On supprime parfois le *de : Vis-à-vis l'église* (Acad.). — *Au fond, vis-à-vis le dôme, la statue de l'empereur en bronze* (Hugo). — *Vis-à-vis les vignes de Montgré, on rencontrait un vallon sombre bordé de grands arbres* (Nerval). — *Vis-à-vis la rue Vaucanson* (Montherlant).

VISER. *a)* Transitif direct : *Viser l'objectif en clignant de l'œil* (Petit Robert).

b) Transitif indirect : avec *à* [= diriger une arme sur, avoir une vue] : *Viser un animal* À *la tête* (Acad.). — *Il ne vise pas* À *cet emploi* (Id.). — *Cet acteur vise trop* À *l'effet* (Id.).

VITUPÉRER, dans l'usage strict, est transitif direct (comme *blâmer) : Il vitupérait le Prince et la Monarchie* (A. Chamson).

Mais il n'est pas rare qu'il se construise avec *contre* (comme *se fâcher) : Il (...) vitupérait volontiers* CONTRE *les Jésuites* (M. Pagnol). — *Un furieux, en tout cas, qui vitupère* CONTRE *l'univers* (R. Kemp).

VIVRE. *Je vis* DE *bonne soupe et non* DE *beau langage* (Molière). — *Vivre* D'*expédients.* — *Vivre* DE *régime.* — *Vivre* DE *ses revenus,* SUR *ses revenus.* — *Vivre* DE *sa réputation,* SUR *sa réputation* (Littré). — *Vivre* À *la campagne.* — *Gnathon ne vit que* POUR *soi* (La Bruyère). — *Manger pour vivre, et non vivre* POUR *manger.* — *Les oiseaux vivent* DANS *l'air.* — *Ah ! mon enfant, qu'il est aisé de vivre* AVEC *moi !* (Mme de Sévigné.) — *Vivre* DANS *la joie,* DANS *la tristesse.* — *Ne pouvoir vivre* SANS *quelqu'un.* — *Vivre* SOUS *un bon prince.* — *Vivre* EN *grand seigneur.* — *Vivre* SELON *sa condition.* — *Vivre* AU-DESSUS DE *ses moyens.* — *Vivre* PAR *juste alternance de veille et de sommeil.* — *Vivre* PARMI *un monde de gens d'affaires.*

VU (AU ~ DE). Voir **REÇU.**

Y COMPRIS. Répétition facultative de la préposition : *Pardonner* À *tous, y compris* À *tel et tel ; Pardonner à tous, y compris tel et tel.* — Voir **EXCEPTÉ.**

ZÉRO. *Partir* DE *zéro* (Petit Robert). — *Repartir* À *zéro* (C. Bourniquel). — *Sa fortune est réduite* À *zéro* (Lexis).

Maurice Grevisse

Savoir accorder le participe passé

4e édition

Règles, exercices et corrigés

Les participes surtout, on ne sait par
quel bout les prendre... tantôt ils s'accordent,
tantôt ils ne s'accordent pas...
quels fichus caractères !

LABICHE, La Grammaire, scène V

Duculot

Maurice Grevisse

Le français correct

Guide pratique

3e édition, revue

Regards critiques sur le vocabulaire contemporain

Usages classiques, usages modernes, usages douteux

Manœuvre des subordonnées

Modifications orthographiques
acceptées par l'Académie française

Tolérances grammaticales
de l'arrêté Haby

Duculot